NUEVAS GUÍAS PERROS DE RAZA

Siberian

Kathleen Kanzler

Dibujos por: Yolyanko el Habanero

Título de la edición original:
Siberian Husky

Primer de Maig, 21 - Pol. Ind. Gran Via Sud
08908 L'Hospitalet - Barcelona, España.
E-mail: hispanoeuropea@hispanoeuropea.com

Depósito Legal: B. 484-2010

ISBN: 978-84-255-1920-8

IMPRESO EN ESPAÑA PRINTED IN SPAIN

LIMPERGRAF, S. L. - Mogoda, 29-31 (Pol. Ind. Can Salvatella) - 08210 Barberà del Vallès

Índice

La historia del Siberian Husky está llena de aventuras y escenas dramáticas.

A diferencia de otros cánidos que evolucionaron a lo largo de los siglos en los llanos de Europa para luego cruzar el océano Atlantico, el Husky fue, y aún es, una raza netamente nórdica. La desarrolló, en la zona noreste de Asia, la tribu siberiana de los indios Chukchi para usarla como perro de trineo, el medio de transporte más importante para ellos. Se buscaba que los perros fuesen resistentes y se les utilizaba para transportar a los indios de la tribu hacia mejores tierras de caza, viajando largas distancias sobre nieve y hielo. Los Chukchi reverenciaban a sus obreros caninos y los trataban como a miembros de la familia. Los perros tenían temperamentos agradables, vivían en los refugios familiares y jugaban alegremente con los niños Chukchi. Ese atractivo carácter

¡La nieve es su hogar! Por muy joven que sea, el instinto del Husky como perro de trineo, y su afinidad con la nieve, están fuertemente establecidos.

está aún presente en el Siberian Husky del siglo XXI.

La primera migración del Husky a suelo norteamericano de que se tenga noticia, ocurrió en 1909, cuando William Goosak, un ruso comerciante de pieles, importó una pareja de Siberianos (entonces se les conocía con este nombre en Nome, Alaska). Goosak inscribió estos perros en la carrera de 700 kilómetros (408 millas) All-Alaska Sweepstakes, con la esperanza de obtener el premio de diez mil dólares ofrecido al equipo ganador. El suyo fue descartado por ser de peso ligero, incapaz de estar a la altura de sus contrincantes más altos y pesados. En un sorpresivo final, el equipo de Goosak llegó en tercer lugar y su sólida manera de conducirse impresionó a los otros corredores. La incipiente reputación de los perros se extendió rápidamente a lo largo y ancho de todo el continente.

A partir de su actuación en 1909, se registraron tres equipos de Siberianos en la carrera All-Alaska (Todo-Alaska) del año siguiente. Quedaron, respectivamente, en primero, segundo y

Todavía se celebran carreras de perros de trineo, sobre todo en Alaska, y la más grande y famosa es la de Iditarod, que cubre unos 3000 kilómetros (1200 millas) sobre terreno helado.

En los climas más templados, el *backpaking* es una de las actividades favoritas de los Huskies y de sus dueños.

cuarto lugar, y el equipo ganador estableció un récord que no pudo ser superado en los próximos siete años. No sorprende, por tanto, que el pequeño pero poderoso Siberiano se haya ganado el respeto y la admiración de los alasleños.

En 1925, el Siberian Husky se embarcó en la histórica Carrera del Suero, misión salvavidas que atravesó Alaska y puso a la raza bajo el ojo público. La ciudad de Nome estaba paralizada debido a una epidemia de difteria, y el suero salvador más cercano estaba a 1100 kilómetros de distancia, en la ciudad de Neana. El entrenador de perros de trineo, y corredor él mismo, Leonhard Seppala, ofreció sus Siberianos, que eran descendientes de los originalmente importados de Siberia, y condujo su equipo de 20 canes, dirigido por Togo, perro líder, a través de 550 kilómetros de peligrosos terrenos, bajo ventiscas y nevadas, para encontrar el equipo de relevo que traía la medicina. El de Seppala, cansado y desgastado, regresó hacia Nome. Un segundo equipo, conducido por el gran Siberiano de nombre Balto, completó la última jornada y entregó el suero. Ambos perros líderes, Togo y Balto, fueron honrados por su valor. Una estatua del último se yergue en el Parque Central de Nueva York, en memoria de todos los perros que participaron en la Carrera del Suero.

Animado por el éxito de su equipo, Seppala inscribió sus Siberianos en varias carreras de Nueva Inglaterra, haciéndolos competir con los corredores caninos locales favoritos. Los Siberianos siempre ganaban a los perros de mayor tamaño, por lo que Seppala conquistó más victorias y récords en el área que cualquier otro *musher* (conductor de trineos). De repente, sus perros estuvieron sujetos a gran demanda, y su criadero proporcionó muchos buenos Siberianos a los *mushers* y criaderos de Nueva Inglaterra durante la década de 1930.

Aquellos aficionados de la Costa Este solicitaron para la raza –y recibieron– el reconocimiento del American Kennel Club (AKC) en 1930. Ocho años más tarde, en 1938, se fundó el Club Estadounidense del Siberian Husky (Siberian Husky Club of America).

No había mucha uniformidad en la apariencia de aquellos primeros Siberianos, algunos eran largos y de patas alargadas, en tanto otros tenían el dorso más corto y el hueso más pesado; además, también diferían en las marcas. Pero el Siberiano de trabajo era lo máximo, y los perros de exposición a menudo trabajaban en los equipos de carreras de la época. Muchos grandes corredores y líderes pueden encontrarse en las generaciones ancestrales de numerosos Siberian Husky de exposición.

Gracias a cuantiosas generaciones enfatizando tanto el desempeño como la conformación del perro, aún es prominente en el Siberian Husky del siglo XXI su necesidad de correr y competir. Muchos destacados criadores de la raza, que corren con sus perros, algunos incluso en Iditarod, la carrera anual clásica para perros de trineo, defienden el Husky integral.

El Siberian Husky ha demostrado ser la raza de perros de trineo más rápida y confiable. Un equipo en acción es algo digno de ser visto.

El noble comportamiento del Siberian Husky es sin duda una reliquia del pasado, algo que se remonta a la época del cariñoso y adaptable Husky que convivía con las tribus Chukchi. Sin embargo, su inteligencia y veta independiente también dominan su personalidad que, en ocasiones, puede ser un reto hasta para el amo más astuto. Pero tal versatilidad presta encanto y atractivo a la personalidad del Husky.

No se considera al Siberiano como perro de una sola persona; él siente igual afecto por todos los miembros de la familia. Le interesan los extraños y se muestra resuelto y cordial cuando le saludan personas ajenas a

El Norwegian Elkhound es otra de las razas nórdicas que comparte muchos rasgos con el Siberian Husky.

Probablemente el Husky sea confundido bastante a menudo con el Alaskan Malamute, un perro mayor que él, como muestra el dibujo.

su entorno, pero esta corrección le descarta como raza de guarda. Sin embargo, sus ojos de brillo poco frecuente pueden resultar intimidantes, y los que no están familiarizados con la raza pueden sentirse amenazados por la mirada de «hielo» del Husky.

Es tolerante y amistoso con los perros extraños. Pero si le atacan, resulta un adversario formidable, preparado y más que capaz de defenderse. Aunque es gentil y amistoso con sus congéneres, no lo es tanto con los animales pequeños tales como gatos, conejos, ardillas y otras mascotas típicas como hámsters y conejillos de Indias. Sus instintos de predador se mantienen firmes, y si le da por cazar no habrá quien lo detenga. Él considera como presas a todas las criaturas pequeñas, por eso es muy arriesgado que compartan el hogar con un Husky.

Los cachorros de Siberian Husky hacen gala de todas las travesuras propias de los infantes. Son activos y están llenos de energía, les encanta explorar y mordisquear por el solo placer de hacerlo. También son dados a cavar, pues se trata de una conducta auto-protectora y, por tanto, resulta difícil de controlar, mucho más de eliminar.

En cuanto a la alimentación, el Husky no es exigente, y necesita menos comida que la mayoría de los perros de su tamaño, ventaja económica que muchos encuentran atractiva. Los historiadores de la raza especulan que este rasgo se remonta a su pasado compartido con los Chukchis, quienes pulieron a sus

Las habilidades del Siberian Husky pueden usarse de muchas otras maneras. Esta jauría está adiestrándose en compañía de su habilidoso dueño.

perros hasta convertirlos en trabajadores incansables, capaces de tirar de los trineos a lo largo de grandes distancias y bajo temperaturas muy frías con una ración mínima, para reducir así la necesidad de añadir comida canina a su pesada narria.

Tal vez el deseo de correr es lo más arraigado del Siberiano con relación a sus ancestros. Él siente una insaciable pasión por la carrera, y corre cada vez que puede. Por su propia seguridad y bienestar, al Husky no debe permitírsele nunca que corra suelto.

Al margen de los obvios retos que entraña poseer un Siberian Husky, es una de las razas que clasifica más alto en los registros anuales del AKC: entre 12 y 15 mil perros cada año. Gracias a los esfuerzos de criadores consagrados, a los entusiastas de las carreras de perros de trineo, a los expositores y a otros miembros del SHCA, el Husky moderno es una de las pocas razas que ha conservado las cualidades mentales y físicas originales que hacen de él un competente perro de trabajo y un compañero devoto.

CONOCER AL SIBERIAN HUSKY

Resumen

- Desarrollado en el norte helado por los Chukchis, el Siberian Husky es el perro de trineo más efectivo del mundo.
- Los Chukchis convivían con sus Huskies y les trataban como a miembros de la familia.
- William Goosak importó los primeros Huskies de Siberia en 1909. La historia recoge otros eventos famosos que dieron lugar a que los perros de esta raza llegasen a ser considerados excepcionales animales de trabajo y apuestos compañeros.
- El Husky de hoy está entre las razas más versátiles, bellas y afectuosas.

CAPÍTULO 2

Estándar y descripción de la raza

El estándar de cada raza pretende describir la imagen del perro ideal, detallando su apariencia, estructura correcta y la función o propósito para el cual fue originalmente desarrollada.

Tal vez no haya estándar que supere al del Siberian Husky. Se trata de un perro de trabajo, un atleta de talla mediana, criado para servir como perro de tiro con arnés. Y cada elemento del estándar está concebido con ese fin.

La importancia que tienen la función y la ejecución se ponen en evidencia en la «Apariencia General», primer párrafo del estándar de la raza. «Su marcha característica es suave y aparentemente fácil, sin esfuerzo. Desempeña su función original con el arnés puesto, conduciendo una carga ligera a velocidad moderada a través de grandes distancias. Su forma y proporciones corporales reflejan este balance entre poder, armonía y resistencia».

El Siberian Husky se parece mucho a los lobos nórdicos, de los cuales desciende.

Los diseñadores del estándar original obviamente intentaron garantizar quc los dcsccndicntes de los primeros Huskies de trabajo retuvieran esas características definitorias.

El Husky puede tener muchos patrones de marcas corporales diferentes; esas sutiles distinciones dan lugar a un amplio rango de posibilidades dentro de la raza.

El Husky macho alcanza entre 53 y 58 cm a la cruz y pesa de 20 a 27 Kg, en tanto la hembra alcanza entre 50 y 55 cm a la cruz y pesa de 16 a 23 Kg. Debe penalizarse el perro de hueso o peso excesivo, así como aquel pasado de talla, aunque sea apenas de 1,5 cm. Requerimientos tan rígidos enfatizan la importancia de una forma adecuada para el trabajo.

La condición física es de máxima importancia en una raza diseñada para ser resistente. El cuerpo ha de ser musculoso y encontrarse en forma, con buenos huesos y patas rectas y fuertes.

Al Husky se le describe como «bien cubierto de pelo». Su manto doble es de longitud mediana, el pelo interno es suave y denso para servir de apoyo al liso pelo protector externo. El estándar penaliza cualquier clase de arreglo en el pelo, que no sea recortar el que crece entre los dedos y alrededor de los pies. Al no llevar acicalado, se considera que el Husky es un perro «fácil de mantener», aunque muchos no estarían de acuerdo con esta afirmación, especialmente en la época en que muda su profuso manto.

Se aceptan los colores desde el blanco hasta el negro puro. Es frecuente la variedad de marcas en la cabeza, incluyendo patrones muy llamativos que no se encuentran en otras razas. Algunos de ellos confieren una «apariencia salvaje» al Husky de pura raza, digna de su cercana relación con el lobo.

La cola también va cubierta de pelo desde la raíz hasta la punta y tiene la forma de un cepillo redondeado. Cuando el perro está en atención, se curva sobre el dorso en un grácil arco que recuerda una hoz, y cuando está en reposo, la lleva baja y hacia atrás. La cola no debe enroscarse sobre uno de los lados del perro ni tampoco acostarse sobre el dorso.

Los ojos del Husky son uno de sus rasgos más originales, algo que hace que uno lo recuerde frecuentemente. Tienen forma almendrada y una especie de sesgo oblicuo, o inclinación hacia arriba. Los colores aceptables son el azul y el pardo. Las orejas son triangulares, gruesas y cubiertas de pelo, de implantación alta; deben estar «fuertemente» erectas y apuntando hacia arriba.

El temperamento del Husky es de máxima importancia. Debe ser amistoso y gentil pero también estar alerta y ser desenvuelto. No muestra las cualidades posesivas de un perro de guarda ni es demasiado suspicaz con los extraños o agresivo con otros perros. El Husky

El Husky no es una raza de pelo largo, sino más bien de manto denso. La doble capa le sirve como protección contra las inclemencias, manteniéndole aislado y ayudándole a repeler la nieve y la humedad.

maduro debe mostrar cierta reserva y dignidad. Su inteligencia, afabilidad y fácil disposición le convierten en un compañero agradable y trabajador bien dispuesto. Su expresión refleja los siguientes elementos de su personalidad: agudeza, amistad, interés, y hasta travesura.

Desde que el estándar original fue aceptado por el AKC en 1932, ha sobrevivido a cinco revisiones hasta llegar a la actual. Tal profundidad en el estudio de la raza indica la dedicación y el compromiso de los criadores con el doble propósito del Siberian Husky.

ESTÁNDAR Y DESCRIPCIÓN DE LA RAZA

Resumen

- El estándar de la raza adoptado por la FCI y el American Kennel Club describe al Siberian Husky ideal según lo concibe el club matriz.
- Todo estándar de raza detalla la forma física del perro así como su carácter y movimiento (o marcha).
- El Husky mide entre 50 y 58 cm, y pesa entre 16 y 23 Kg.
- El tan celebrado doble manto de la raza es de longitud mediana y tiene subpelo. Los colores van desde el negro hasta el blanco.
- Los ojos almendrados del Husky tienen un sesgo oblicuo; las orejas son pequeñas y triangulares; la cola va cubierta de pelo y se curva como una hoz.

¿Es la raza adecuada para usted?

Se ha dicho que es posible sacar al Husky de Siberia pero no sacar Siberia del Husky. Y es que este no es simplemente un perro de regiones invernales.

Se trata de un «caballo de tiro» guiado por una ética laboral desarrollada a lo largo de generaciones de perros de trineo corriendo y tirando bajo las más difíciles condiciones. Por tanto, no es un animal que se sienta satisfecho viviendo como un desempleado. Sin trabajo ni retos que afrontar, el Husky empleará su energía de manera creadoramente destructiva. Cavará bajo la roca más grande, se escurrirá a través de la valla más sólida, y pondrá a prueba de otras muchas maneras la imaginación de su dueño. El aburrimiento no está en el vocabulario del Husky.

Ese espíritu libre es parte del encanto de la raza y una de las cualidades especiales que atrae a la gente hacia ella. Es muy inteligente pero no fácil de adies-

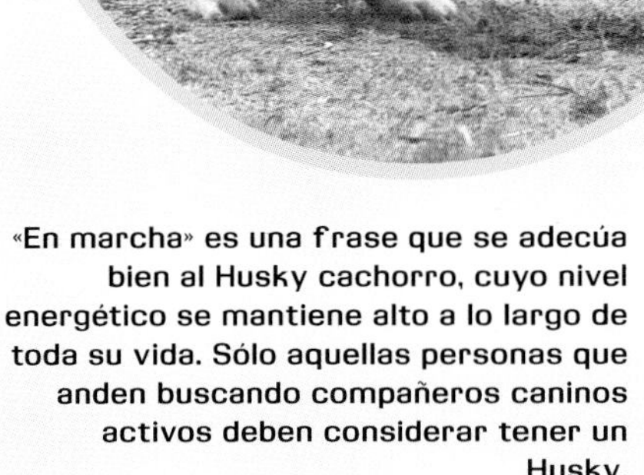

«En marcha» es una frase que se adecúa bien al Husky cachorro, cuyo nivel energético se mantiene alto a lo largo de toda su vida. Sólo aquellas personas que anden buscando compañeros caninos activos deben considerar tener un Husky.

trar: representa a la vez un reto y un acertijo. Por todo ello, el Husky necesita un amo igualmente especial, capaz de lidiar con –y disfrutar de– las muchas facetas de su personalidad. Si desea un perro con el deseo de complacer de un cobrador, la lealtad de un guardián, o que sea bastante comodón y se contente con un vida en solitario, el Husky no es para usted.

Al margen de su estilo voluntarioso, el Siberian Husky es un perro gregario y cariñoso que necesita estar con su amo o con su familia, por lo que no es feliz si se le deja solo. Tiene un delicioso temperamento y disfruta toda oportunidad que se le presenta para relacionarse con las personas, jóvenes o viejas.

Es un perro que disfruta de la compañía de los niños, y cuando juega con ellos es muy gentil y dulce.

Sinceramente hospitalario, el Husky no es un perro de guarda o vigilancia. Es tan amistoso con los extraños como con la familia, aunque a menudo la gente que no lo conoce se deja intimidar por su apariencia, especial-

Al aire libre, en la nieve, con su dueña. ¿Qué más podrían pedir este par de bellos perros?

Si está buscando un can que salte de gusto cada vez que le vea, entonces puede que el Husky sea justo el perro para usted

mente a causa de sus ojos, lobunos y fulgurantes.

El Siberiano es igualmente agradable con los otros perros, ya que se ha desempeñado como miembro de un equipo canino de tiro durante generaciones. No ocurre lo mismo, sin embargo, con los demás animales pequeños, como gatos, conejos o conejillos de Indias. Sus instintos predadores permanecen fuertes y, debido a ello, este perro, normalmente gentil, se transfigura en un agudo y diligente cazador de pequeñas y desventuradas criaturas. No cohabitará en paz, pues, con tales mascotas.

El pelaje del Husky es fuerte evidencia de su herencia ártica. Su manto es espeso y afelpado, con subpelo, y lo muda dos veces al año, dejando nubes de pelusa por toda la casa. Si es usted quisquilloso con estas cosas, piénselo dos veces antes de vivir con un Husky. Por otra parte, el denso subpelo aísla al perro de los numerosos agentes alergénicos de la piel que tanto irritan a los seres humanos, y lo mantiene relativamente inodoro. El acicalado, cepillado y baño regulares llevan tiempo, pero son esenciales para mantenerle el pelo y la piel sanas.

Aunque el Husky es un perro pequeño, que no sobrepasa los 60 cm a la cruz, necesita las

Los dueños de Husky admiten estar embriagados con esta maravillosa raza -¡y el sentimiento es mutuo!-.

comodidades de uno grande. Lo mejor es disponer de un patio de buen tamaño con espacio para ejercitarse. Una valla segura que tenga por lo menos 1,50 m de altura es de imperiosa necesidad. Los Huskies son la quintaesencia del cavador y del corredor, perros absolutamente decididos a hacer ambas cosas. Si usted es de los que gusta de tener un jardín arreglado y bonito, su Husky pronto le ahorrará todo el trabajo.

Su natural inclinación por la carrera es tal vez el más dañino de sus defectos. Corre por el puro placer de hacer aquello por lo cual se le crió, rasgo que ha de ser controlado en aras de su propia seguridad. El Husky no percibe el peligro potencial de un carro de la nieve o un camión que se acerca. A los Siberianos debe tenérseles a buen recaudo y sólo ejercitárseles en áreas cerradas y seguras, siempre bajo correa o arnés, no dejándoles

El amor del Husky por los niños está profundamente enraizado en la raza desde la época en que se criaba con los infantes de los Chukchi, quienes le consideraban como un auténtico miembro de la familia. Aún así, a todos los chicos hay que enseñarles cómo conducirse adecuadamente con el perro, y a tratarlo con consideración y respeto.

nunca correr libremente. Dicho con mayor claridad: los dueños que permitan a sus perros lo contrario los estarán poniendo en peligro y se arriesgan a perderlos por muerte o pérdida.

El Husky se acopla mejor con una familia dinámica que desarrolle actividades que incluyan al perro. Él necesita por lo menos una hora diaria de ejercicio vigoroso. Los paseos largos, a paso vivo, la natación y los eventos de tiro son excelentes maneras de canalizar la ilimitada energía del Husky.

Los grupos de rescate, compuestos de voluntarios que se dedican a encontrar hogares para los Huskies abandonados consideran que, debido a su alto nivel de energía, travesuras tremendas y otros rasgos difíciles de manejar, muchos dueños no están preparados para tener perros de esta raza.

Muchos Huskies son abandonados debido a tales problemas

Los Huskies no son únicamente perros de tiro, sino versátiles y amorosos compañeros a los que les encanta compartir cualquier cosa con sus dueños. Este dinámico par está ayudando al dueño con el bote, ansioso por pasar un día cerca del agua.

de conducta todos los años, y los grupos de rescate se esfuerzan por reubicar a la mayor parte de ellos.

Si le apetece vivir con un Siberian Husky, busque exclusivamente al criador conocedor, capaz de educarle en los pros y contras de la raza. El criador responsable y amoroso le aconsejará gustosamente durante todos los períodos de desarrollo del perro, lo cual resulta ser bastante bueno.

Como auténticos miembros de jauría, a los Huskies les va bien en los hogares multiperro, ya que disfrutan la compañía de sus congéneres. Este Husky y su socio Golden Retriever están listos para ¡chocar con la carretera!

¿ES LA RAZA ADECUADA PARA USTED?

Resumen

- La persona apta para el Husky busca un perro activo y dispuesto, que desee convertirse en miembro de la jauría de su amo.
- Uno de las más apreciadas ventajas del Husky es su temperamento, gregario con los otros perros, y amistoso hacia la gente. Los Huskies hacen amigos fácil y alegremente.
- El Husky, con su copioso manto, suelta pelo por toda la casa, mientras su sabio y puntilloso dueño lo mantiene cepillado y no se preocupa por las pelusas que se acumulan bajo la mesilla del café.
- La persona apta para el Husky dispone de una vivienda con patio grande y valla confiable, porque a este perro corredor hay que mantenerlo en casa y resguardado. Se le ejercita con la correa puesta y en un área segura y cercada.

Tratándose del Siberian Husky, seleccionar un criador responsable y serio es más importante que en otras muchas razas pues, si bien se trata de un perro brillante, también entraña un desafío.

El criador conocedor podrá explicar al dueño las complejidades de tan intrigante animal de manera que pueda criar adecuadamente al cachorro. La mejor garantía para tener un perro estable y sano es encontrar un criador consciente de Husky (a menudo llamado «criador por hobby»). Puede llevarle tiempo dar con uno en el que pueda confiar y con experiencia en la raza, pero un buen cachorro vale el esfuerzo extra. No se tome la molestia de leer este capítulo si se propone salir corriendo a comprar el primer cachorro de Husky que encuentre. Es lo que ocurre con demasiada frecuencia porque los culpables e indulgentes compradores casi siempre son per-

El primer paso para encontrar el cachorro que desea es hallar al criador adecuado: reputación excelente, estricta ética de crianza y personalidad amistosa son las cualidades que deben adornarlo

sonas educadas y sensibles que se rinden tontamente ante un perrillo ojiazul. Por su propio bien –su dinero y sentimientos– aminore el paso y haga una selección inteligente.

La búsqueda del binomio criador-cachorro puede ser una experiencia emocionalmente agotadora, capaz de poner a prueba su paciencia y voluntad. Todos los cachorros son adorables y es fácil rendirse ante el primer simpático perrillo que uno ve, pero un Husky mal criado confrontará problemas de salud y temperamento que podrían destrozarle el corazón y vaciarle el bolsillo. Así que «haga la tarea» de buscar al criador antes de visitar a los lindos cachorros. Ármese con una buena lista de preguntas para hacerle (si es bueno, no se opondrá). Deje la chequera y los niños en casa para que no caiga en la tentación de comprar un mal, pero aún así irresistible, cachorro de Husky.

Consejo para principiantes: pida al criador que le muestre el pedigrí y los documentos de registro. El pedigrí debe incluir de tres a cinco generaciones ances-

Insista siempre en ver a los cachorros en compañía de su madre. Los Huskies mal criados pueden tener serios problemas de salud y temperamento, una de las principales razones por las cuales son luego abandonados.

Procure no enamorarse del primer Siberiano bebé que encuentre.

trales. Pregunte el significado de los títulos que en él aparecen, como «Ch», «CD» o «MA». Ellos indican logros de los perros en algún tipo de competencia canina, lo que demuestra los méritos de los antepasados, y añade credibilidad al criador. Los títulos pueden haber sido obtenidos en una exposición de conformación, obediencia o agilidad. También puede ver los certificados de salud con relación a caderas y ojos. Si bien es cierto que el pedigrí y los documentos de registro no son garantía de salud o buen temperamento, un pedigrí bien construido sigue siendo una buena garantía.

Pregunte al criador por qué planificó esta camada. Si es una persona consciente, lo habrá hecho por razones específicas, y deberá poder explicar las consideraciones genéticas que le motivaron a realizar este cruzamiento en particular, así como lo que espera conseguir con él. Nunca le escuchará decir que reprodujo «porque su Husky es tan dulce y/o bello, y el del vecino, tan bonito, que seguramente tendrían lindos perrillos», o alguna otra razón por el estilo. El hecho de amar apasionadamente a su perro no califica a ningún individuo para criar inteligentemente una camada de Huskies.

La salud es lo primero

Pregunte por la salud. Los Siberianos son una de las pocas razas menos afectadas por la displasia de cadera, gracias al esfuerzo permanente de criadores consagrados. La única manera de producir cachorros no atacados por esta enfermedad u otras de origen hereditario es radiografiar a los padres para comprobar si las padecen.

Muchos criadores también radiografían a los parientes cercanos para construir un pedigrí con caderas sanas. Pregunte al criador si los progenitores del cachorro tienen certificados de salud de la OFA (Orthopedic Foundation for Animals, registro nacional canino de displasia de cadera). Puede que aparezca la referencia en el pedigrí con una nota como «OFA "Bueno"».

Los ojos del Husky no son tan sanos como sus caderas, ya que es más propenso a padecer cataratas hereditarias o juveniles, distrofia corneana y atrofia progresiva de la retina (siglas en inglés: PRA). Todo el plantel de cría debe ser examinado anualmente para constatar que está libre de enfermedades en el año previo al de la reproducción.

El daño causado por las cataratas puede ir desde una moderada pérdida de visión hasta la ceguera total, en los casos extremos. La distrofia de la córnea produce una acumulación de lípidos en ella, lo que da lugar a una vaga opacidad en el ojo. El PRA que afecta a la raza es único del Husky y sólo se da en ellos y en las personas. Provoca pérdida de visión diurna y, eventualmente, ceguera total. Los machos afectados pueden quedar completamente ciegos a los cinco meses de edad.

Visitar al criador le permitirá conocer a la madre y la camada completa de cachorros, todos los cuales deben estar alertas, sanos y correctos, además de contentos de conocerle.

Los problemas oculares pueden presentarse en cualquier color de ojos. Los criadores deben hacer examinar a ambos progenitores por un especialista, autorizado por el American College of Veterinary Ophthalmology (ACVO), o sea, el Colegio Americano de Oftalomología Veterinaria y registrar los resultados en el Canine Eye Registry Foundation (CERF), es decir, en la Fundación de Registro del Ojo Canino. El Club Estadounidense del Siberian Husky (Siberian Husky Club of America, SHCA) tiene también su propio registro ocular llamado Siberian Husky Ophthalmologic Registry (Registro Oftalmológico del Siberian Husky), el cual acepta los exámenes del ACVO y emite un certificado válido durante un año. Los buenos criadores mostrarán no ya de buena gana, sino con orgullo, estos documentos.

El dueño informado es el mejor de todos. Si desea más detalles acerca de las enfermedades genéticas del Siberian Husky, puede contactar el SHCA mediante correo electrónico en www.shca.org/shcahp2a.html.

Evaluando al criador

Los criadores experimentados de Husky suelen estar involucrados con sus perros en algún tipo de actividad canina, ya sea exhibiéndolos o adiestrándolos para eventos de trabajo o actividades afines. Puede que sus perros hayan ganado títulos en diferentes competencias, lo que demostraría su experiencia y compromiso con la raza. Los criadores consagrados pueden también pertenecer al SHCA, a algún club canino regional o a uno de todas las razas.

Tal asociación con otros expertos y gente del mundo del perro expande su conocimiento sobre la raza y refuerza de igual modo su credibilidad. Si el criador no está «interesado en exposiciones», ¡déjelo! La ausencia de campeones en una línea significa que sólo el criador (y nadie más) considera que sus perros son lo suficiente buenos para criar. Cuando uno encuentra cachorros con líneas de campeones significa que por lo menos tres jueces experimentados estuvieron públicamente de acuerdo con la opinión del criador acerca del valor de sus reproductores.

Los criadorcs rcsponsablcs, por cierto, no crían varias razas diferentes ni producen muchas camadas a lo largo del año; lo típico en un criador por *hobby* es una o dos camadas anuales. Algunos criaderos mayores tienen el personal y la reputación para producir cinco o seis camadas al año, pero son bastante excepcionales.

El criador también le hará preguntas acerca de su experiencia con los perros, los que haya tenido, su conocimiento sobre el Husky, etc. Querrá saber cómo vive usted, cómo es su casa, si tiene patio, hijos, y cosas así, y también qué se propone con el cachorro y cómo planifica criarlo. La prioridad número uno del criador es el futuro de sus cachorros, por eso necesita saber si usted y su familia son los dueños adecuados, capaces de proporcionar un hogar amoroso y apropiado a uno de sus pequeños tesoros. Desconfíe del criador que consienta en venderle un cachorro de Husky sin preguntarle nada. Tal indiferencia indica falta de preocupación por el destino de los perrillos y pone en duda tanto su ética de criador como su programa de cría.

Los buenos criadores pasan parte de su tiempo acariciando y sociabilizando a cada cachorro de la camada para facilitarles la transición a su nueva «jauría» humana.

El buen criador también le advertirá acerca de las inconveniencias del Husky. Ninguna raza de perros es perfecta, ni adecuada para el temperamento y estilo de vida de todas las personas. El Husky es muy original, así que prepárese para sopesar sus ventajas y desventajas.

La mayoría de los criadores notables tienen un contrato de venta de cachorros que incluye garantías de salud específicas y acuerdos de devolución razonables. En principio, deberían estar dispuestos a aceptar de vuelta un cachorro si las cosas no funcionan. También deberían estar dispuestos, ansiosos, incluso, por comprobar su progreso después de abandonar la casa natal, y disponibles siempre para ayudar al nuevo dueño con sus dudas o problemas.

Muchos criadores registran sus cachorros con calidad de mascotas en el Registro Limitado del AKC. Así, quedan inscritos en dicha entidad y pueden competir en los eventos reconocidos por ella, pero no se permite el registro de su futura descendencia. El propósito del Registro Limitado es prevenir la cría indiscriminada de Huskies «con calidad de mascotas». El criador, y sólo él, puede cancelar el registro limitado si el perro, una vez adulto, llega a convertirse en un animal con calidad para la reproducción.

Si tiene la más mínima duda, siéntase libre de pedir referencias y compruébelas. Es improbable que el criador le facilite una lista de clientes insatisfechos, pero telefonear a otros dueños puede hacer que se sienta más cómodo al tratar con él.

Cuente con que ha de pagar un buen precio por todas estas cualidades del criador, no importa si adquiere un Husky con «calidad de mascota» para que sea un mero acompañante, o uno con potencial para exposición o trabajo. Cualquier perro vendido como ganga, no es tal. De hecho, el cachorro rebajado de precio es en realidad un desastre potencial con muy pocas probabilidades de convertirse en un adulto estable y sano. Tales «gangas» podrían costarle a la larga una fortuna en gastos veterinarios y angustia, algo que no puede calibrarse en dinero.

Encontrar al criador

Entonces ¿cómo encontrar un criador responsable en quién confiar? Haciendo la tarea que le toca antes de empezar a visitar cachorros. Pida referencias a su veterinario, y si no las tiene, pídaselas a alguien que tenga uno como amigo. Pase un día en una exposición canina u otro evento afín donde pueda conocer criadores y presentadores, así como a sus perros. La mayoría de los aficionados al Husky estarán muy contentos de mostrarle sus ejemplares y alardear sobre sus triunfos. Si admira a uno en particular, pregunte al dueño dónde lo consiguió.

Conozca a los perros del criadero y observe cómo se relaciona el criador con ellos. Eso le dirá mucho acerca del cuidado que les proporciona y la manera en que estos maduran.

Pida referencias sobre los criadores de su zona. El sitio web (www.akc.org) también ofrece vínculos con los criadores y clubes especializados de todo Estados Unidos. En el sitio web del SHCA: www.shca.org/shcahp2a.html puede también encontrar listas de criadores. Cualquier información, por pe-

Bello retrato de una orgullosa madre con su precioso cachorro.

queña que sea, hará de usted un comprador más sabio en el momento de considerar una camada.

Al buscar un cachorro de Husky, no tome en cuenta los anuncios que aparecen en los diarios. Los criadores serios casi nunca se anuncian en ellos. Ni tampoco lo necesitan. Son muy celosos acerca de los dueños potenciales de sus cachorros y por eso no confían en los medios masivos para encontrar a las personas adecuadas. En lugar de eso, dependen de las referencias de otros criadores y de clientes previos. Están más que dispuestos a conservar cualquier cachorro allende las acostumbradas siete u ocho semanas hasta que aparezca el dueño adecuado.

Adquirir un cachorro no es como comprar cualquier otra cosa que se nos antoja. No se trata de un nuevo par de botas o de un artículo de lujo en la vidriera de la tienda local. Afortunadamente, ya la mayoría de las tiendas de artículos para mascotas no venden cachorros, pero también hay que estar en guardia con los «criadores de trascorral». Se trata de pequeños negocios que sólo buscan eso: ganancias, no la salud ni el bienestar de los cachorros que en masa producen. Aún en el caso de que su único interés sea adquirir «una bonita mascota», seguramente deseará que esté sana y correcta. Por eso, el buen criador es su mejor y única opción.

Tal vez el segundo ingrediente más importante de la búsqueda sea la paciencia. Probablemente no encontrará el criador ni la camada idóneos en la primera ronda. Los buenos tienen a menudo listas de espera, pero un buen cachorro vale la espera.

SELECCIÓN DEL CRIADOR

Resumen

- Para localizar un criador responsable y conocedor, contacte con el club de la raza o Sociedad Canina Central de su país.
- Asista a una exposición canina para conocer criadores y presentadores de buenos perros.
- Comience la búsqueda paciente y correctamente informado. Tenga preparada una lista de preguntas para hacer al criador.
- Cuando hable con él, pregunte por los pedigríes, contratos de venta, certificados de salud, papeles de registro y referencias.
- El criador serio le informará acerca de las enfermedades hereditarias dentro de su línea, y de cualquier problema conocido en la raza con el cual haya tropezado.

Elegir el cachorro adecuado

Escoger el cachorro adecuado es imprescindible para llevar una vida exitosa con el Siberian Husky.

Debe estar preparado para pasar algún tiempo en compañía del criador, los cachorros y su madre antes de tomar la decisión final. Si es posible, vaya a ver varias camadas y tome nota de lo que observa y le gusta, y de lo que no le gusta en cada una de ellas. Puede que tenga que hacer un viaje para ver una buena camada, pero la búsqueda, el tiempo invertido, los quilómetros y el dinero valdrán la pena.

Visitar al cachorro implica mucho más que intercambiar besos y abrazos. Puede comparar el encuentro con la última entrevista de trabajo a la que tuvo que enfrentarse.

Mientras busca al Husky que va a convertirse en miembro de su familia, está en realidad analizando aspirantes, o sea, a los cachorros y sus padres, al criador, y el entorno donde se están criando.

El color y las marcas están sujetos a la preferencia personal, siempre y cuando se seleccione un cachorro sano y correcto. El de la foto tiene atractivas marcas oscuras y ojos de color azul intenso, una combinación muy llamativa.

El lugar y la forma en que se cría una camada es esencial para el incipiente desarrollo de los cachorros y su transformación en animales confiados y sociables. Debe ser en interiores, ya sea dentro de la casa o en un área bien protegida adjunta, no aislada en un sótano, garaje o perrera exterior. Los pequeños Huskies necesitan ser sociabilizados diariamente con personas y actividades humanas. Mientras más contacto tengan con los sonidos y panoramas de la casa en el período que va de las cuatro a las siete semanas, más fácilmente se adaptarán a la vida con su futura familia.

Durante la visita, observe los cachorros y el área donde viven: compruebe si están aseados o muestran signos de enfermedad o salud deficiente. Todo debe estar razonablemente limpio (comprenda que los perrillos orinan continuamente). Lo normal es que los encuentre llenos de energía, alerta y con ojos brillantes. Los cachorros sanos tienen el pelaje limpio y espeso, están bien proporcionados, y se les siente musculosos y sólidos al tacto, sin que estén gordos o

Los cachorros más desenvueltos se entusiasmarán con su visita y vendrán corriendo hacia usted, ansiosos por presentarse a sí mismos.

¡Qué dulce carita! Este cachorro es aún muy joven para dejar al criador pero pronto podrá recibir visitas y no cabe duda de que alguien ise enamorará de él!

tengan vientres protuberantes. Observe si tienen costras o secreciones en ojos, nariz u orejas, y compruebe que no haya evidencia de diarreas o heces sanguinolentas.

Si es posible, trate de conocer a ambos progenitores. Comúnmente, el padre no se encuentra en el lugar, pero el criador debe tener fotos y un resumen de sus características y logros.

Preste especial atención a la personalidad de ambos padres. Los Huskies son amistosos, pero como todos los perros tipo spitz –o nórdicos– pueden ser algo retraídos con los extraños, aunque nunca deberán evadir un acercamiento amistoso. También es normal que algunas perras se muestren hasta cierto punto protectoras con sus crías; lo que no es aceptable es que se comporten con suma agresividad. El temperamento se hereda, y si uno o ambos padres son muy tímidos o inseguros, es probable que alguno de los cachorros herede esas características.

Observe cómo se relaciona la madre con los cachorros, y estos entre sí y con el entorno, especialmente cómo reaccionan frente a las personas. Deben ser activos y sociables. En la mayoría de las camadas de Husky hay siempre algunos cachorros más desenvueltos que otros, pero incluso aquel perrillo tranquilo que ha sido bien sociabilizado no se mostrará tímido o asustado ni se encogerá ante una voz amistosa o una mano extendida.

El criador debe ser honesto al referirse a la diferencia entre las personalidades de los cachorros. Aunque muchos les someten a algún tipo de prueba de temperamento, no puede olvidarse que han pasado la mayor parte de las primeras siete u ocho semanas de vida de los perrillos tocándolos y limpiándolos, y llegado el momento, ya conocen las sutiles diferencias en la personalidad de cada uno. Las observaciones del criador le resultarán valiosas y útiles para seleccionar el que sea compatible con usted y su estilo de vida.

Aclárale si planifica llevar el perro a exposiciones de conformación o competir con él en Obediencia, Agilidad, o eventos de tiro de trineos. Algunos cachorros se muestran más prometedores que otros y él puede ayudarle a seleccionar el que mejor se ajuste a sus objetivos a largo plazo.

¿Lo prefiere macho o hembra? ¿Cuál le va mejor? Ambos sexos son amorosos y leales, por lo que las diferencias obedecen más a las personalidades individuales que al género. La hembra Husky es un alma noble con la cual resulta fácil convivir, aunque también puede mostrarse un poquito irritable en dependencia de sus antojos y picos hormonales. El macho, igualmente leal y muy apegado a su amo, suele ser cinco centímetros más alto que la hembra y, en general, mayor y más fuerte. Aunque los perros tienden a ser más estables emocionalmente que las perras, también son más revoltosos y físicamente inquietos durante la adolescencia, algo que puede resultar problemático tratándose de un perro fuerte y vigoroso. El macho no adiestrado puede también devenir dominante con la gente y con otros perros. Si desea que su perro le respete como líder, necesitará una sólida educación en obediencia. Los machos no iniciados tienden a ser más territoriales, sobre todo frente a sus homólogos.

Los cachorros machos deben tener los dos testículos descendidos dentro del escroto. Un perro con testículos no descendidos podrá ser una bella mascota pero no es elegible para participar en exposiciones de conformación.

Llegado a casa, el cachorro de Husky puede demorar algún tiempo en sentirse cómodo. Para él es una experiencia abrumadora, así que concédale tiempo para salir «de la concha».

Si no aspira a criar o exhibir a su Siberian Husky, y lo esteriliza, sea hembra o macho, conseguirá emparejar el juego y eliminará la mayoría de las diferencias relacionadas con el sexo, además de alargarle la vida. ¿Qué mejor razón para proceder a la esterilización?

A las siete semanas de edad los cachorros deben haber sido desparasitados y vacunados por lo menos una vez, y contar con un certificado veterinario que confirme su buena salud en el momento del examen médico. Algunos criadores de Husky consideran que las vacunas monovalentes reducen la posibilidad de reacciones negativas a los múltiples componentes de las vacunas polivalentes. Pregunte al criador y al veterinario qué le recomiendan al respecto.

El criador debe decirle lo que ha estado comiendo el cachorro, cuándo y cuánto. Algunos dan al nuevo dueño un poco de comida para los primeros días. La mayoría de ellos entrega también a sus clientes un dossier que contiene una copia del certificado de salud, el pedigrí y los documentos de registro del cachorro, copias de los certificados de salud de los padres, y el contrato de venta, si lo tienen. Muchos proporcionan literatura sobre la raza y sobre

El retozo y las luchas a guisa de juego entre hermanos son parte de la primera sociabilización y aprendizaje de las reglas de la manada.

cómo criar y adiestrar correctamente al Siberian Husky. Los criadores consagrados saben que mientras más sepan los dueños mejor vida les espera a sus preciosos perrillos. Tal vez sea usted lo suficientemente afortunado para escoger un criador tan atento como para ¡regalarle este libro!

ELEGIR EL CACHORRO ADECUADO

Resumen

- No compre cachorros a través de catálogos, vidrieras de tiendas o carteles colgados en la esquina. Se trata de una de las adquisiciones más importantes de su vida.
- Busque un cachorro sano y correcto. No se deje seducir por esos brillantes ojos azules y tierno peluche (aunque los ojos claros y el pelaje suave y brillante son ventajas innegables).
- Observe el ambiente del criadero y compruebe si está limpio y huele bien. Pregunte por la madre (y el padre) de la camada. Fíjese cómo se relaciona la perra con sus crías.
- Analice con el criador sus preferencias en cuanto al sexo del cachorro. Él puede darle más detalles acerca de las diferencias que existen en su línea.
- Los dueños que pretendan exhibir a sus cachorros de Husky deben consultar la opinión del criador sobre cuál es el más prometedor. Confíe en el conocimiento que él tiene de su línea. Es parte del dinero que está usted pagando.

Tener una casa «a prueba de cachorros» es mucho más que una simple frase curiosa en los libros de adiestramiento: es parte esencial de la bienvenida que dará al pequeño Husky.

Preparar totalmente la casa –tarea que deberá acometer antes de traerlo a vivir con usted, pues después no tendrá tiempo– le evitará accidentes y sorpresas potencialmente dañinas o fatales. Comprarle cosas va a ser muy divertido, pero es mejor que ponga la billetera a buen recaudo porque los artículos para cachorros, especialmente las cosas no esenciales, suelen ser demasiado encantadoras como para resistirse a ellas, y «avituallar» al suyo puede vaciarle el bolsillo sin ninguna dificultad. Comience con lo más importante y deje la pacotilla para después.

Lo más importante es dar la bienvenida al cachorro ofreciéndole ¡mucho amor!

Recipientes para el agua y la comida

Va a necesitar dos recipientes separados, uno para el agua

y otro para la comida. Los de acero inoxidable son los mejores: resultan fáciles de lavar y resistentes al mordisqueo. Los Huskies tienen mandíbulas poderosas y les encanta usar sus dientes. Algunos han conseguido masticar platos de aluminio. El plástico es demasiado endeble, y los encantadores recipientes de cerámica, frágiles. También es conveniente que no sean fáciles de volcar porque la mayoría de los cachorros disfruta chapoteando en los platos del agua, y el Husky no es la excepción.

Los recipientes de comida no son exactamente para esto, pero así aportan ¡más diversión a los cachorros!

La comida del cachorro

El cachorro debe alimentarse con una buena comida apropiada para su edad y raza. Actualmente la mayoría de los alimentos caninos de calidad contiene fórmulas específicas destinadas a satisfacer las necesidades nutritivas de las razas pequeñas, medianas (el Husky) y grandes, en las diferentes etapas de su vida. Los Huskies crecen rápido y para mantener en buen estado sus articulaciones necesitan una óptima comida

El patio y cualquier otra área adonde el cachorro tenga acceso, debe ser a prueba de este inquisitivo explorador.

equilibrada durante ese primer año de vertiginoso desarrollo. Aliméntelo, en esta etapa, con una buena dieta de crecimiento para razas medianas. Luego podrá cambiar a una de mantenimiento destinada a perros adultos, igualmente de tamaño medio.

Los alimentos de excelencia para cachorros y para perros maduros, ejercerán una influencia beneficiosa en el primer estirón del Husky, y luego, en su salud como adulto.

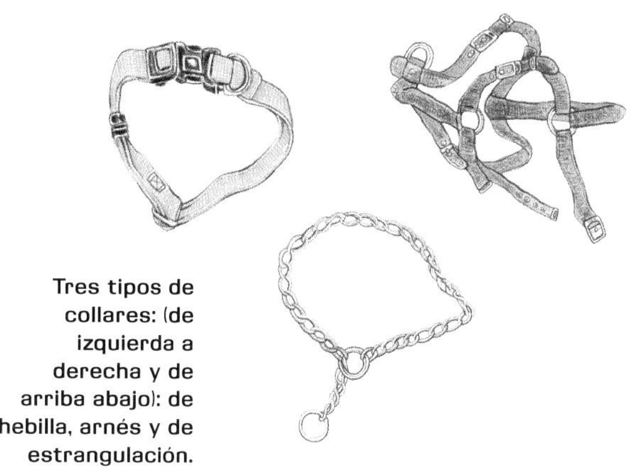

Tres tipos de collares: (de izquierda a derecha y de arriba abajo): de hebilla, arnés y de estrangulación.

Collares y chapas de identidad

El cachorro debe tener un collar ajustable con posibilidades de agrandarse a medida que vaya creciendo. Los de nailon ligero son los mejores para los perros de cualquier edad. Póngaselo de manera que pueda insertar dos dedos entre el collar y el cuello del animal, así es como le queda bien. La chapita de identidad debería llevar su número de teléfono, nombre y dirección, pero no el nombre del perro porque cualquier persona extraña podría identificarlo y llamarlo. Con la intención de acelerar la devolución de sus perros –en caso de pérdida o robo– algunos dueños incluyen una advertencia que dice: «El perro está bajo tratamiento médico». Tan pronto el cachorro llegue a la casa, póngale el collar para que se acostumbre a él. Con el fin de adjuntar la chapita de identidad lo mejor es usar una argolla redonda porque las que tienen forma de «S» se enganchan en las alfombras y se zafan con facilidad.

Hoy día, ni siquiera los collares para perros han quedado al margen de la alta tecnología. Algunos vienen equipados con bípers y dispositivos de rastreo. Las más avanzadas técnicas de identificación de mascotas utilizan el sistema de ubicación global (GPS), ajustado en el interior del collar o de la chapa de identidad. Cuando el perro sale del perímetro casero previamente programado, el dispositivo envía un mensaje directamente al teléfono o dirección de correo electrónico del dueño.

Los collares de estrangulación y los de púas se usan con fines de adiestramiento y sólo durante las sesiones de trabajo. Jamás deben usarse en cachorros Huskies menores de cuatro meses.

Correas

Por conveniencia propia y seguridad del cachorro, debería tener al menos dos tipos de correa diferentes. Para pasear, asistir al *kindergarten* canino y otras clases de obediencia, lo mejor es ponerle una correa delgada de piel o de nailon de dos metros de longitud. La otra correa es la extensible, que se alarga o acorta desenrollándose o enrollándose dentro de un estuche manual, según se apriete un botón. Es la herramienta ideal para el ejercicio por lo que todo cachorro debería tener una. Las correas extensibles pueden ser de diferentes medidas (desde dos metros y medio hasta ocho) en dependencia del tamaño de la raza. Mientras más larga, mejor, porque así su perro podrá correr y olfatear todo lo que le plazca lejos de usted. Son especialmente útiles para ejercitar a los cachorros en áreas no cercadas, y durante los viajes.

El collar y la chapita de identidad son parte del guardarropas cotidiano de todo Husky «bien vestido».

El lecho

Los lechos para perros son muy divertidos. Los hay de todo tipo, desde los pequeños y baratos hasta los elegantes, con cabecera, para las razas regias. Pero no se exceda. Es mejor ahorrarse la compra de un suntuoso lecho para cuando el Husky sea mayor y menos propenso a hacerlo pedazos u orinarse en él. Para el cachorro, lo mejor es una toalla grande, un cobertor, o una manta de fácil lavado (lo que probablemente tendrá que hacer a menudo).

Jaulas y Barreras

Estas serán las adquisiciones más importantes. La jaula es la herramienta más valiosa que tiene el dueño para la educación doméstica, y el lugar favorito del perro para sentirse seguro. Las jaulas pueden ser de tres tipos: de alambre, de malla, y plásticas, que son las más conocidas por usarse en los viajes aéreos. Las de alambre y las de malla ofrecen mejor ventilación, y algunas pueden plegarse para llevarlas en forma de maleta, pero estas últimas son un riesgo en el caso de los Huskies jóvenes, tan dados a cavar y morderlo todo. Cualquiera que sea el tipo, adquiera una jaula para perros adultos de 50 centímetros de ancho por 80 de alto, y no una acorde con el tamaño del cachorro. Podrá encontrarla en la mayoría de las tiendas para mascotas y mediante los catálogos de artículos caninos.

Para el cachorro, elija una jaula que pueda servirle cuando haya crecido. Será su refugio durante toda la vida.

Una barrera para bebés bien emplazada protegerá la casa de las inevitables travesuras perrunas y le mantendrá a usted en sus cabales. Es aconsejable confinar al cachorro en una habitación o espacio enlosado, no alfombrado, con acceso a la puerta de salida hacia el lugar donde acostumbra a hacer sus necesidades. Dentro de un área segura, donde no pueda causar destrozos ni estragos, pronto aprenderá a hacer sus necesidades en el lugar adecuado, mordisquear sólo los juguetes apropiados en lugar de sus muebles antiguos, y ahorrarse así innecesarios correctivos por normales travesuras.

Sin embargo, confinado no quiere decir abandonado. Los cachorros de Siberian Husky morderán la barrera si están aburridos y pueden destruir hasta lo indestructible. Si no lo puede atender, use la jaula.

Utensilios de acicalado

Los Huskies son perros naturalmente limpios que no tienen desagradables olores corporales. Su denso pelaje requiere cepillado frecuente para mantenerse arreglado y libre de nudos. Esta raza muda el manto por lo menos una vez al año, lo que puede ser problemático para las personas que gustan de tener sus casas impolutas. Para empezar, los mejores utensilios de acicalado son la rasqueta y el rastrillo antinudos. No olvide preguntar al criador qué le recomienda en este sentido.

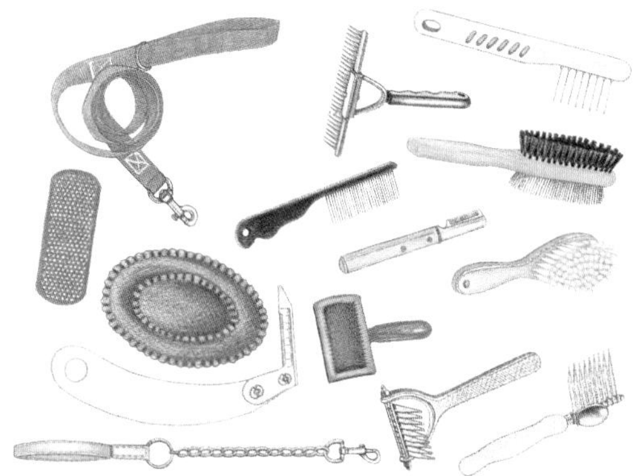

En la tienda para mascotas encontrará un surtido de útiles para el acicalado. Elija sabiamente y compre los mejores dentro de lo que le permitan sus recursos.

Acostumbre al cachorro al acicalado desde el primer momento, para que aprenda a disfrutarlo. Este procedimiento también lo ayuda a familiarizarse con el hecho de ser tocado con las manos, algo muy útil cuando llegue el momento de lavarle los dientes, limpiarle las orejas y cortarle las uñas.

Peligros domésticos

Después de realizar las compras para el cachorro, lo siguiente es revisar la casa y liberarla de posibles peligros. Los cachorros de Husky son criaturas naturalmente curiosas, dadas a investigar todo lo nuevo, que husmean y destruyen sólo porque resulta divertido. La moraleja es: no dejarlos nunca deambular por la casa, sin supervisión.

Los botes de basura y cubos con pañales son imanes naturales para los cachorros. Manténgalos tapados y fuera de su alcance. Ellos nunca pierden el interés por los olores fuertes, así que adopte la costumbre de manera permanente. Ponga a buen recaudo los frascos de medicina, los materiales de limpieza, y los venenos contra cucarachas y roedores. Se sorprendería de saber lo que un cachorro decidido puede encontrar.

Debe desconectar los cables eléctricos dondequiera y cada vez que sea posible; los que no, hágalos inaccesibles. Las lesiones por morder cables eléctricos son extremadamente frecuentes en los perros jóvenes.

Los cachorros de Siberian Husky, que andan olisqueando a ras del suelo, encontrarán y tragarán toda suerte de objetos minúsculos, lo que les llevará directamente a la sala de cirugía. Aleje al suyo de todos los

Revise el patio y todas las áreas externas de la casa para detectar las plantas dañinas para los perros, y deshágase de ellas o impida que el Husky las alcance.

materiales fibrosos como el cordel dental y el estambre, el hilo de coser y las agujas. En cuanto a los productos para la limpieza del baño, debería eliminarlos ahora mismo. Todos los perros nacen con un «sónar para retreposa regañona! Pero lo cierto es que los cachorros adoran todos los objetos olorosos. Recójalos del suelo y cierre las puertas de los armarios. Puede que no se de cuenta, pero sus calcetines y ropa interior huelen a «mami

Ya sea en la perrera o un patio, es necesario contar con una cerca de altura adecuada para proteger al atlético Husky.

tes» y no demoran en descubrir que el agua dentro de ellos está siempre fría.

En la casa, sea recogido, especialmente con los calcetines, ropa interior, zapatos y chinelas. ¡El autor no desea que usted lo confunda con una madre o esmultiplicado por diez» y ¿qué podría resultar más atractivo para un canino con fijación olfatoria? La mayoría de los cirujanos veterinarios le contarían de muy buena gana historias alucinantes sobre lo que han extraído del intestino de los cachorros.

Con relación a la cochera, ¡tenga cuidado con los anticongelantes! Son extremadamente tóxicos, al punto de que unas pocas gotas aniquilarán a un Husky adulto, imagínese a un cachorro. También mantenga los fertilizantes fuera del alcance de su olfateador Husky.

Esto en cuanto a los objetos inanimados, pero ¿qué hacer con las criaturas de cuatro patas que tengamos en el hogar? Los Huskies tienen fuerte instinto predador y consideran a todos los animales pequeños como presas. De modo que los conejillos de Indias, hámsters, conejos, ratones y gatos están en peligro, dentro y alrededor de la casa. Usted no puede cambiar su conducta natural con relación a ellos. De igual modo, la cotorra o la cacatúa familiar están en peligro, ¡aunque tengan sólo dos patas! Las mascotas aladas deben ser cuidadosamente vigiladas en presencia del Husky, quien puede aceptar o no «un halcón salvaje» volando alrededor de su jaula.

Sociabilización

Este procedimiento protege al cachorro, pero no la casa. La sociabilización es la garantía para que el Husky tenga una madurez alegre y estable, y constituye, sin lugar a dudas, el factor más importante en sus primeros contactos con el mundo. Esta es una raza naturalmente gregaria, que acepta a la gente y a los otros perros, y que raramente es agresiva o suspicaz con los extraños. Sin embargo, está demostrado que los cachorros no sociabilizados crecen siendo miedosos, inseguros, temerosos de la gente, de los niños y los lugares desconocidos. Muchos se convierten en mordedores cobardes, o se vuelven agresivos con los otros perros, con los extraños, e incluso, con los miembros de la familia. Tales animales casi nunca pueden ser rehabilitados y suelen terminar abandonados en refugios caninos donde son, a la larga, sacrificados. La sociabilización del cachorro sienta las bases para que el perro ya crecido tenga buena conducta, y previene esos comportamientos que conducen al abandono y la eutanasia.

El principal período de sociabilización se enmarca dentro de las primeras veinte semanas de vida. En el momento en que el perrillo deja la seguridad de su madre, entre las siete y ocho semanas, aquí empieza su trabajo. Empiece con algo tranquilo, y sin complicaciones en su nueva casa durante uno o dos días, entonces comience a ponerlo en contacto, gradualmente, con los sonidos y las imágenes de este, su nuevo mundo humano. A esta edad, es esencial la interacción frecuente con los niños, con personas no conocidas y con otros perros. Siempre llévelo de visita a lugares novedosos (donde los canes sean bienvenidos, naturalmente) como parques, o incluso el aparcamiento del mercado local donde se reúne mucha gente. Propóngase como meta conocer dos lugares diferentes cada semana durante los próximos dos meses. Procure que las situaciones novedosas sean positivas y alegres, porque eso creará una actitud favorable ante encuentros futuros.

Un juguete para morder ayuda a enfocar las energías del cachorro positivamente, al mismo tiempo que salva sus pertenencias frente al daño que pueda causarles un cachorro aburrido.

«Positivo» es una palabra especialmente importante cuando se trata de ir al veterinario. Usted no desea que su perro tiemble de miedo cada vez que visite la consulta. Cerciórese de que su veterinario sea un verdadero amante de los perros, además de buen médico.

Su cachorro necesitará también estar en contacto con los niños, aunque no sin vigilancia. Los Huskies son, por lo general, buenos con los chicos, pero tanto unos como otros deben aprender a comportar adecuadamente cuando están juntos. Los cachorros de todas las razas tienden a considerar a la gente menuda como hermanos de camada e intentarán ponerles una pata encima (actitud de dominio). A los chicos hay que enseñarles a jugar adecuadamente con los perros y respetar su privacidad. De la misma manera, los adultos de la familia deben enseñar al cachorro a no mordisquear ni saltar sobre los infantes.

Lleve a su joven Husky a la escuela para cachorros. Algunos cursillos los aceptan con diez o doce semanas de edad, si cumplen el requisito de tener puestas sus primeras vacunas. Mientras más joven, más fácil es modelar patrones de buena conducta. Un buen cursillo para cachorros enseña la correcta etiqueta social canina en lugar de rígidas habilidades de obediencia. El cachorro conocerá y jugará con congéneres jóvenes de otras razas mientras usted se informa sobre los métodos de enseñanza positiva necesarios para adiestrarlo. Los cursillos para cachorros son importantes tanto para los novatos como para los expertos.

Tener algunas golosinas a mano ayudará al cachorro a sentirse bien en casa en poco tiempo.

Si es usted un dueño inteligente no se quedará ahí sino que continuará con los cursos de obediencia básica. Claro, lo que desea es tener el Husky más educado del vecindario.

Recuerde esto: hay una relación directa entre la calidad y cantidad de tiempo que dedica al cachorro durante las primeras veinte semanas de su vida y el carácter que tendrá cuando sea adulto. No podrá recuperar ese valioso período de aprendizaje, así que aprovéchelo al máximo.

El día de la llegada del cachorro de Husky marca el comienzo de una maravillosa amistad con uno de los mejores camaradas caninos del mundo.

LLEGADA A CASA DEL CACHORRO

Resumen

- ¡Hora de comprar! La tienda para mascotas espera por usted y los vendedores le ayudarán, de buena gana, a hacer las compras para el cachorro.
- Tenga en la lista: comida para cachorros, recipientes, la chapita de identidad, correa y collar, jaula, barreras, utensilios de acicalado, y uno o dos juguetes inofensivos, para morder.
- Antes de que el cachorro cruce el umbral de la casa, compruebe que no haya nada en ella ni en el patio que pueda ser peligroso para él.
- Aunque los Huskies aman a la gente y a los otros perros, la sociabilización es parte vital de la crianza y la madurez. Procure que tenga experiencias positivas.
- Inscríbalo en un cursillo para cachorros. Las clases de obediencia son una excelente vía para sociabilizar y adiestrar al nuevo cachorro.

CAPÍTULO 7

Primeras lecciones

El cursillo para cachorros y el subsiguiente adiestramiento en obediencia son especialmente importantes en el caso del Siberian Husky.

El cociente de adiestrabilidad de la raza es moderadamente bajo y puede hacer resistencia al adiestramiento en obediencia. Sin embargo, esta es la única manera de garantizar que sea usted el «perro líder» en la vida de su Husky, condición indispensable para vivir en armonía con él. El *kindergarten* del cachorro comienza el día en que lo trae a casa.

Todos los perros son animales de manada y, como tales, necesitan un líder. El primer jefe del Husky fue su madre, y todas las lecciones las aprendía de ella o de sus hermanos de camada. Cuando jugaba o mordía demasiado fuerte, sus hermanos lloraban y dejaban de jugar. Si se comportaba de manera prepotente u ofensiva, su madre le daba una suave manotada. Ahora us-

La golosina es una vía segura para conseguir la atención del Husky, así como cualquier agradable recompensa por haber realizado bien una labor.

ted tiene que asumir el papel de madre y de líder y enseñarle la conducta adecuada, de manera que su pequeña mente canina lo pueda entender. No olvide que, desde el punto de vista perruno, las normas humanas no tienen ningún sentido.

Cuando comience el proceso de enseñanza recuerde que las primeras veinte semanas en la vida de cualquier perro son el tiempo más precioso para el aprendizaje, pues en este período la mente está en condiciones óptimas para absorber cualquier lección, positiva o negativa. Las experiencias positivas y la adecuada sociabilización en esta etapa son sumamente importantes para su desarrollo y estabilidad futuros. Tenga presente esta regla de oro de la sociabilización: la cantidad y calidad del tiempo que dedique a su joven Husky en el presente determinará la clase de perro que será de adulto. ¿Salvaje o educado? ¿Disciplinado o chapucero? Depende de usted.

La ciencia que estudia la conducta canina nos enseña que cualquier comportamiento premiado será repetido (este proce-

Lo ideal es que el Husky siempre esté pendiente de usted, ¡no sólo cuando tenga una golosina en la mano!

Los cachorros siguen al líder espontáneamente, pero los Huskies se vuelven pronto independientes y piensan por sí mismos. El adiestramiento debe empezar desde pequeño, tratándose de una raza como esta.

dimiento se llama refuerzo positivo). Si recibe algo bueno: una sabrosa golosina o una palmada cariñosa en la cabeza, el cachorro deseará naturalmente repetir el comportamiento. Las mismas investigaciones que han conducido a estas conclusiones, han demostrado que uno de los mejores caminos para llegar a la mente de un cachorro es su estómago. El mismo principio se aplica a los esposos.

El refuerzo positivo es la vía para acometer el adiestramiento. Su perro disfrutará de sus caricias y elogios tanto como cualquier golosina comestible

¡No subestime nunca el poder de un bizcocho (o un bistec)! Y esto nos lleva a otra muy importante regla: mantenga siempre sus bolsillos repletos de golosinas, así estará preparado en todo momento para reforzar cualquier comportamiento positivo del cachorro en el momento exacto en que se produzca.

El mismo principio del refuerzo se aplica también a las conductas negativas, o a lo que las personas (no los perros) podamos considerar negativo (como trastear en el bote de basura, cuyo olor encuentran ellos tan provocador y por eso no ven nada malo en hacerlo). Si el cachorro anda en la basura, roba comida o hace cualquier otra cosa que los haga sentirse a gusto, lo repetirá. ¿Qué mejor razón para mantenerlo bajo vigilancia estrecha?

Y ahora, comencemos con las clases. Regla número uno: El cachorro tiene que aprender que ahora usted es el perro «alfa», el nuevo jefe de la manada. Regla número dos: Tiene que enseñarle de un modo que él entienda (lo siento, pero ladrando no lo conseguirá). Recuerde siempre que el cachorro no sabe nada sobre estándares de conducta humanos.

Asociación de palabras

Cada vez que le enseñe un comportamiento, utilice siempre la misma palabra (orden) y añada recompensas comestibles y elogios verbales como refuerzo positivo. El cachorro hará la conexión y se sentirá motivado para repetir dicho comportamiento siempre que escuche las palabras claves. Por ejemplo, cuando le esté enseñando a hacer sus necesidades fuera de casa, use siempre la misma orden («Retrete», «Popó» o «Apúrate» están entre las más comunes), y añada «¡Muy bien!» cuando ya esté en los hechos. Él aprenderá enseguida para qué son esos viajes al exterior.

Sincronía

Todos los perros aprenden sus lecciones en el presente. Es necesario sorprenderlos en el acto (bueno o malo) para otorgarles recompensas o castigos. Usted tiene entre tres y cinco segundos para conectarse con su perro, de lo contrario él no entenderá qué fue lo que hizo mal. Por eso, sincronía y coherencia son factores claves para triunfar en la enseñanza de cualquier conducta nueva, o en la corrección de las malas.

El éxito en el adiestramiento del cachorro descansa sobre varios principios importantes:

1. Use órdenes de una sola palabra y dígalas una sola vez. De lo contrario, el cachorro aprende que «Ven» (o «Siéntate» o «Échate») son órdenes de tres o cuatro palabras.
2. Nunca lo regañe por algo que haya hecho minutos antes. Acuérdese: sólo tiene de tres a cinco segundos.
3. Siempre elógielo (y dele una golosina) tan pronto como haga algo bien (o deje de hacer algo mal). ¿Si no, cómo va a comprender el cachorro que está portándose correctamente?
4. Sea coherente. No puede permitirle hoy que se acurruque junto a usted en el sofá para ver la televisión, y mañana regañarlo por eso.
5. Nunca llame al perro para castigarlo por alguna travesu-

ra porque pensará que el correctivo es consecuencia de haber acudido al llamado (¿Recuerda..? Debe pensar como perro). Para detener cualquier conducta incorrecta, vaya usted hacia él, pero asegúrese de atraparlo en el acto porque, de lo contrario, no entenderá el correctivo.

6. Jamás le golpee, patee, ni le pegue con un periódico u otro objeto. Tales medidas abusivas sólo producen miedo y confusión y pueden terminar generando en él futuras conductas agresivas.
7. Cuando lo elogie o lo regañe, use la voz inteligentemente: alegre y suave para elogiar, firme y seca para regañar o advertir. Un quejumbroso «No, no» o «Suelta eso» no sonará muy convincente, así como tampoco una voz profunda y áspera le hará entender que se está portando bien. Del mismo modo, use su propia voz para hablarle, no se exprese con ñoñerías. El Husky también responderá en correspondencia con las disputas familiares. Si estalla en un griterío, creerá que hizo algo mal y correrá a esconderse. Así que no discuta nunca delante de los niños ¡ni del perro!

Al margen de su fuerte apariencia, el Husky es un animal suave que no se muestra receptivo a los métodos ásperos y regaños. Por eso, no hay mejor recurso para mantener bajo control su veta porfiada que el *kindergarten* para cachorros y las lecciones sistemáticas de obediencia.

Juegos

Los juegos son una manera excelente de entretener al cachorro y al dueño mientras el primero recibe lecciones subliminales en medio de un rato de placer. Comience con un plan de juegos y un puñado de golosinas. Que los juegos sean cortos para no extralimitar la atención del cachorro. Los Huskies se aburren con demasiada repetición.

Atrápame. Este juego le ayudará a enseñarle la orden de «Venir». Dos personas se sientan en el suelo a unos cuatro o cinco metros de distancia; una de ellas sostiene y acaricia al ca-

Debe enseñar al cachorro que venga siempre que usted lo llame. Los adiestradores han tenido éxito enseñando la orden de venir en forma de juego.

chorro mientras la otra lo llama: «Perrito, perrito, ¡ven!» con voz alegre. Cuando él acude corriendo, le recompensa con grandes abrazos y una jugosa golosina. El juego se repite unas cuantas veces más, invirtiendo quién lo aguanta y quién lo llama, sin excederse.

Se puede incorporar una pelota, o alguno de los juguetes favoritos del cachorro, para que los cobre, mientras ambas personas se los arrojan la una a la otra. Cuando recoja el juguete, elógielo, abrácelo, y ofrézcale una golosina para que lo suelte y entonces vuélvaselo a lanzar a la persona número dos. Se repite igual que antes.

El juego de las escondidas. Otro juego que enseña la orden «Ven». Practíquelo fuera de la casa, en el patio, o en alguna otra área cerrada y segura. Cuando el cachorro esté distraído, ocúltese detrás de un arbusto. Atísbelo para que vea cuándo se percata de que usted no está y regresa corriendo a encontrarle (créame, es lo que hará). Tan pronto como se acerque, salga del escondite, agáchese con los brazos extendidos y llámelo:

Las jaulas tienen múltiples usos. La que mostramos en la foto está bien como jaula de viaje para el cachorro (por el momento), pero pronto le quedará pequeña. Lo mejor es que tenga en mente la talla del Husky adulto cuando vaya a comprar la jaula que utilizará en la casa

«Perrito, ¡ven!». Este juego es también un recurso importante para relacionarle con su cachorro y enseñarle que depende de usted.

¿Dónde está el juguete? Comience por colocar a la vista del cachorro uno de sus juguetes favoritos. Pregúntele: «¿dónde está tu juguete?» y déjelo que lo tome. Entonces lléveselo fuera de la habitación y coloque el objeto de manera que sólo sea visible una parte de él. Tráigalo y hágale la misma pregunta. Alábelo efusivamente cuando lo encuentre. Repita lo mismo varias veces. Finalmente, esconda el juguete completamente y deje que el cachorro olfatee. Confíe en su olfato, él lo encontrará.

A los cachorros de Husky les encanta divertirse con su familia. Los juegos son auxiliares excelentes en el proceso de enseñanza y una de las mejores maneras de decir al perro: «Te quiero».

PRIMERAS LECCIONES

Resumen

- «Arranca» puede que sea la única orden que el Husky realmente entienda. Correr es divertido y fácil. El resto de la clase de obediencia no le interesa verdaderamente.
- Comience a enseñar al cachorro de Husky lo más temprano posible; apóyese en el adiestramiento positivo, dele mucho amor y recompensas sabrosas.
- Dos reglas importantes; sea el «perro líder» (el «alfa») y aprenda a comunicarse con su perro.
- Para las conductas básicas enséñelo a asociar palabras.
- Todo consiste en ser oportuno: aprenda las siete reglas para el adiestramiento exitoso de cachorros.
- Juegue con el cachorro los tres juegos que le mostramos para enseñarle a venir hacia usted.

Si es usted de los que cree que poner al perro en una jaula o confinarlo de alguna manera es un castigo cruel e inusual, puede que deba reconsiderar su decisión de vivir con un Siberian Husky.

Educar al perro para que haga sus necesidades fuera de la casa es esencial para poder compartir con él una vida limpia y una relación feliz

Se trata de un perro cuya función es tirar de trineos y, como es fiel a su herencia, adora correr. Esta es la simple cualidad verdaderamente distintiva que separa a los perros nórdicos de los demás. Se fugará a la primera oportunidad, y cruzar una calle llena de tráfico puede costarle la vida. De modo que una jaula, una valla, una perrera, todas prometen al Husky una vida segura.

Además, si comprende usted la mentalidad canina, sabrá que todos los cánidos son criaturas de madriguera, gracias a los miles de años que sus antepasados pasaron viviendo en guaridas y refugios terrestres. La mayoría de los cachorros se adapta de manera natural al confinamiento en la jaula, y los

Husky, más primitivos que la mayoría de los más refinados perros de otras razas, se acostumbran enseguida.

Los cachorros son también intrínsecamente limpios, y como detestan ensuciar su guarida o espacio vital, la jaula viene a ser una herramienta natural para la educación casera. De este modo, se convierte en un accesorio canino de propósitos múltiples: el hogar particular del Husky dentro de la casa del dueño; una herramienta noble para la enseñanza doméstica; una medida de seguridad que, en ausencia del amo, mantiene a salvo al cachorro de los posibles peligros que pueda haber en la vivienda, además de proteger los muebles antiguos y todo lo que en ella se encuentra; un auxiliar en caso de viaje que alberga y protege al perro (la mayoría de los moteles los acepta dentro de sus jaulas) y, por último, un cómodo espacio donde tener al cachorro cuando el personal de servicio, el cartero, o los parientes «antiperro» vienen de visita.

Muchos criadores de experiencia insisten en el uso de la

¡Siguiendo la pista! El agudo sentido del olfato del cachorro lo llevará hasta el lugar donde siempre hace sus necesidades, por lo que muy pronto aprende adonde tiene que dirigirse.

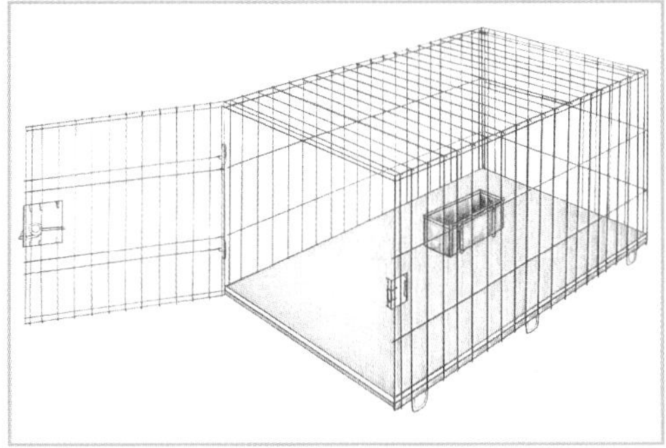

La jaula metálica es la mejor opción para los dueños de Husky. Sus ventajas son la ventilación, la limpieza fácil y la vista que permite al perro.

jaula después de que los cachorros dejen el hogar natal, y algunos comienzan a acostumbrarlos a ella antes de enviarlos a sus futuros hogares. Asumamos, no obstante, que su Husky no haya visto nunca una jaula, lo que deja en sus manos garantizar que el primer contacto con ella sea agradable.

La primera vez que lo ponga en contacto con la jaula, arroje dentro una pequeña golosina para incitarlo a entrar, y hágalo así durante uno o dos días. Elija una orden para esa acción, algo así como: «Jaula», «Adentro» o «Guacal», y úsela cada vez que entre. Empiece a acostumbrarlo desde el mismo día que llegue a su casa para que aprenda que ella es su nuevo hogar. También puede darle sus primeras comidas dentro, con la puerta abierta, para que la asocie con algo agradable.

Vaya creándole el hábito al cachorro colocándole en la jaula para dormir sus siestas, por la noche y cada vez que no esté en condiciones de observarlo de cerca. No se preocupe, él le hará saber cuándo se despierta y necesita salir a hacer sus necesidades. Si se queda dormido bajo la mesa y se espabila cuando usted no está por allí, adivine qué es lo que hará primero. Un charco, y luego caminará sobre él para decirle: «!Hola!».

Conviértase en el vigilante del Husky. La rutina, la coherencia y un ojo de águila son las claves para triunfar en la educación casera. Los cachorros siempre «van» cuando se despiertan (¡ahora mismo, ya!), después de comer, de jugar y tras períodos de confinamiento. La mayoría de los perrillos que no han cumplido aún los tres meses necesitan desahogarse por lo menos cada hora, o sea, más de diez veces al día. (Ponga a funcionar el cronómetro de la cocina para recordarlo).

Cuando saque al suyo, llévelo siempre a la misma área, diciéndole «Fuera» mientras sale. Use la orden de desahogo que haya elegido («Apúrate», «Popó» o la que sea) para cuando él esté haciendo sus necesidades, y alábelo con un «!Hazlo, muy bien!». Use siempre la misma puerta de salida y confínelo en el área aledaña para que la encuentre en el momento en que lo necesite. Observe cuando esté olfateando o girando en círculos: son señales inequívocas de que necesita desahogarse. No le permita deambular por la casa hasta que no esté completamente educado pues, ¿cómo va a encontrar la puerta de salida si tiene que atravesar primero tres o cuatro habitaciones? Él no tiene un mapa de la casa en su cabeza.

Claro, habrá incidentes. Les pasa a todos los cachorros. Si atrapa al suyo en el acto, bata palmas ruidosamente diciendo: «¡Aaaah! ¡Aaah!» y encamínelo hacia fuera. Su voz deberá alarmarlo y hacerlo detenerse (bueno, tal vez). Cerciórese de alabarlo cuando termine de hacer las necesidades en el exterior.

Si descubre el orín después de ocurridos los hechos –más de tres o cuatro segundos después– llegó demasiado tarde. Los cachorros sólo entienden las cosas en el presente, por eso no son capaces de comprender un correctivo que llegue después de cinco segundos (sí, ¡1-2-3-4-5!) de consumados los hechos. Las correcciones a destiempo sólo provocan miedo y confusión. Así que olvídelo y prométase estar más vigilante.

Controle su frustración y sea paciente. Nunca estriegue la trufa del cachorro o del perro adulto

Sea paciente e imagine cómo debe estarse sintiendo el cachorro con todas sus extrañas expectativas y demandas.

dentro de la orina o las heces ni le pegue con la mano, el periódico o cualquier otro objeto, a fin de corregirlo. ¿Le pegaría usted a un niño por mojar el pañal? Igual, el cachorro tampoco entenderá qué ha hecho mal y sólo conseguirá que le tome miedo a la persona que lo golpea. En el adiestramiento de un perro no hay espacio para golpes.

Sugerencia para la educación de las necesidades fisiológicas: retírele el plato del agua después de las 19:00 horas para ayudar al control de la vejiga durante la madrugada. Si está sediento, ofrézcale un cubito de hielo. A partir de entonces lo verá correr al refrigerador cada vez que escuche el sonido de la cubeta.

Al margen de sus numerosos beneficios, no puede abusarse de la jaula. Los cachorros menores de tres meses de edad no deben permanecer encerrados por más de dos horas seguidas, a menos, claro, que estén durmiendo. Una regla general dice que tres horas es lo máximo para un cachorro de tres meses, cuatro o cinco para uno de cuatro o cinco meses y no más de seis horas para los que tienen más de seis meses. Si usted no puede estar en casa para soltar al perro, póngase de acuerdo con un pariente, vecino o con un cuidador canino para que le deje salir a hacer un poco de ejercicio y sus necesidades.

Si prefiere educar al Husky para que use el papel de periódico en lugar de valerse de la jaula para enseñarle dónde y cuándo hacer sus necesidades fisiológicas, la rutina es básicamente igual (aunque no tan efectiva y limpia). Asígnele un lugar de desahogo que esté retirado y cúbralo con papel de periódico. Lleve allí al cachorro de acuerdo con un horario. Use la palabra específica para ordenarle hacer sus necesidades y elógielo cuando lo haga. No use esa área para ninguna otra cosa, excepto para que el perro se desahogue, y manténgala limpia. Puede colocar un pedazo del papel ya orinado sobre el nuevo, para recordarle por qué lo ha llevado hasta ese lugar. El olfato lo orientará.

¿Qué puede hacer con un cachorro suelto cuando no esté en casa? (No es una buena opción en el caso del Husky). Confínelo en un área protegida por una barrera para perros (las barreras para bebés pueden ser útiles durante algún tiempo). Eliminar todos los riesgos caseros puede no ser suficiente, incluso si la habitación está vacía, porque un

Husky aburrido puede morder y agujerear paredes. Un corral para ejercicios de un metro y medio cuadrado (adquirible en las tiendas para mascotas), lo suficientemente fuerte como para que no pueda ser derribado, le servirá para mantenerlo encerrado con seguridad durante cortos períodos de tiempo. Empapele una zona del corral para que haga allí sus necesidades, y coloque un cobertor fácilmente lavable en la otra esquina, para las siestas. Los cachorros de Husky casi nunca se conforman con acostarse pacíficamente a roer un juguete. Si no lo enjaula y tampoco puede supervisarlo, prepárese para enfrentar las consecuencias (en euros y agravantes).

Lo más importante de todo: recuerde que el éxito en la educación casera básica se basa en la coherencia, la repetición y la asociación de palabras. Aténgase a un programa estricto y use sus palabras clave consistentemente. Los dueños bien adiestrados tienen cachorros de Husky bien enseñados ¡y casas limpias!

EDUCACIÓN INICIAL

Resumen

- Los perros son criaturas de madriguera: la jaula es eso.
- La educación casera significa enseñar al Husky una conducta limpia dentro de la casa, algo no tan sencillo como parece en el caso de un perro que, como este, gusta de vivir a la intemperie.
- La educación casera implica que el dueño se convierta en un vigilante de los hábitos del Husky (comer, beber, dormir y desahogarse).
- Use una orden para cuando el cachorro haga sus necesidades, así él le hará saber cuándo necesita salir.
- Esté al tanto de la cantidad de agua que toma el cachorro durante el proceso de educación de las necesidades fisiológicas.
- Considere el uso del papel de periódico y las barreras caninas como una alternativa de la jaula.

El Siberian Husky nace con una «actitud ante la vida». Se trata de una criatura independiente con muy pocos deseos de hacer las cosas a la manera de su dueño.

Lo más prudente es comenzar a enseñarle desde cachorro –antes que madure y se vuelva más resistente a su mandato– órdenes de obediencia básica. Esto es importante si pretende que su Husky llegue a ser un buen ciudadano canino, bienvenido en cualquier lugar. Él necesita aprender aquellas conductas que le proporcionarán a usted un elemento de control: «ven, siéntate, quieto, échate, espera y camina».

Comience siempre los ejercicios de enseñanza en un entorno tranquilo y libre de distracciones. Cuando el cachorro haya dominado una tarea múdese de lugar y practique en otro sitio, otra habitación, fuera, en el patio, y más tarde, con otra persona u otro perro cerca. Si él reacciona ante la nueva distracción y no hace el ejerci-

El Husky nace con una «actitud ante la vida» por la cual se destaca: el aspecto travieso de este jovenzuelo lo dice todo.

cio, refuerce el adiestramiento, use golosinas más tentadoras como premio y continúe con el ejercicio trabajando durante algún tiempo sin distracción.

Para no confundirlo, designe una sola persona para que lo instruya en las primeras etapas. Ya sabe: es por aquello de «muchas manos en un plato...». Cuando el cachorro haya aprendido una orden confiablemente, otros miembros de la familia pueden sumarse a las clases. Antes de cada sesión, ignórelo por algunos minutos. La falta de estímulos le hará sentirse más ansioso de su compañía y atención.

Haga las sesiones cortas, no más allá de diez minutos al principio, para que no se aburra y pierda el entusiasmo. Con el tiempo, llegará a concentrarse durante períodos más largos. Observe cualquier signo de aburrimiento o falta de atención. Varíe los ejercicios para mantener en alto el interés del perro. Consiga siempre que las clases sean positivas y alegres. Use mucho elogio, elogio y ¡más elogio! No adiestre nunca al cachorro o perro adulto si está usted de mal humor. Perderá la pa-

Lleva mucha dedicación progresar hasta el nivel de adiestramiento para el *ring* de exposición.

Un lugar seguro y libre de distracción, como el patio de la casa, es ideal para las sesiones de adiestramiento.

ciencia, él pensará que es culpable, y eso revertirá el progreso alcanzado.

Termine cada sesión con una nota positiva. Si ha estado batallando para que haga un ejercicio, o si no ha conseguido todavía que lo haga, cambie a uno que ya sepa hacer bien («siéntate») y termine así felizmente la lección.

Antes de poder enseñar al cachorro cualquier orden con efectividad, deben darse dos pasos. Primero, él ha de aprender a responder por su nombre (reconocimiento del nombre), y segundo, usted tiene que ser capaz de ganarse y retener su atención. ¿Cómo conseguirlo? Con golosinas, ¡por supuesto! Las golosinas se definen como bocaditos minúsculos, preferiblemente suaves y fáciles de tragar. No se trata de sobrealimentar al cachorro. Las lonchas finas de perro caliente cortadas en trozos pequeños hacen maravillas.

Atención y reconocimiento del nombre

Comience pronunciando el nombre del cachorro. Una vez. No dos ni tres veces, sino una. De lo contrario, su voluntariosa perra aprenderá que tiene un nombre en tres partes («Kala-Kala-Kala Marie») y le ignorará cuando diga Kala una sola vez. Comience usando su nombre cuando no esté distraída y esté seguro de que le mirará: láncele una golosina tan pronto como le mire. Repita este ejercicio por lo menos doce veces, varias veces al día. No le va a tomar más de 24 horas o algo así conseguir que su cachorro entienda que su nombre significa algo bueno que comer.

Toma y deja

Estas dos órdenes ofrecen tantas ventajas que no podríamos enumerarlas. Coloque una golosina en la palma de su mano y diga al cachorro «Toma», mientras él se apodera de ella. Repítalo tres veces. A la cuarta vez, no diga nada cuando su cachorro se incline sobre la golosina, sólo cierre sus dedos sobre ella y espere. No retire la mano ni haga fuerzas con ella, sólo prepárese para que el cachorro le toque con la pata, le lama, ladre y le mordisquee los dedos.

¡Paciencia! Cuando finalmente se aleje y espere unos segundos, ábrala y dígale: «Toma».

Ahora, el segundo paso. Muestre al cachorro la golosina que tiene en la palma de la mano y dígale: «Deja». Cuando él intente tomarla, cierre la mano y repita: «Deja». Repita el procedimiento hasta que se vaya, espere entonces un segundo, abra su mano, dígale: «Toma» y déjelo apropiarse de la golosina. Repita el procedimiento hasta que él espere algunos segundos, entonces ofrézcale la golosina con un «Toma». Gradualmente, extienda el tiempo de espera antes de decirle «Toma».

Ahora vamos a enseñar al perro a dejar las cosas en el suelo, no simplemente en la palma de su mano. (Piense en todo aquello que usted no desea que él recoja). Colóquese frente al cachorro con la correa floja y arroje una golosina hacia atrás pero ligeramente hacia un lado para que él pueda verla, mientras le dice: «Deja». Aquí «comienza el baile». Si él va a buscar la golosina, use su cuerpo –no sus manos– para bloquearlo, haciendo que se aleje de ella. Tan pronto como retroceda o renuncie a tratar de rodearle, desbloquee la golosina y dígale: «Toma». Prepárese para bloquearla de nuevo si él va por ella antes de que usted le de permiso. Repita el proceso hasta que logre comprender y esperar la orden.

Una suave presión sobre la grupa ayudará al Husky a asumir la posición de sentado mientras aprende el ejercicio.

Cuando ya el perro conozca bien esto, practíquelo con el plato de comida, diciéndole «Deja», y luego, cuando obedezca: «Toma» (puede lo mismo sentarse o permanecer de pie mientras espera por el plato). Al igual que antes, extienda gradualmente el período de espera antes de decirle: «Toma».

Este pequeño entrenamiento envía muchos mensajes al Husky. Le recuerda que usted es el jefe y quien da las órdenes, y que todas las cosas buenas, como la comida, vienen de su todopoderoso guía (y amo). Además, esto ayuda a evitar que el cachorro se vuelva muy posesivo con su plato de comida, conducta que se desarrolla hasta que el perro se convierte en un «guardián de recursos», y por ahí deviene en otras aún más agresivas.

La orden de «venir»

Practíquela siempre con el perro bajo correa. No puede darse el lujo de fallar porque entonces aprenderá que no tiene que venir cuando le llame. Una vez que haya logrado captar su atención, llámelo desde una corta distancia diciéndole: «Perrito, ¡ven!» (¡con voz alegre!), y cuando venga, dele una golosina. Si duda, tire suavemente de él con la correa. De forma delicada, tómelo y sosténgalo con una mano por el collar mientras con la otra le da la golosina. Esto es importante. Eventualmente, deberá dejar atrás la golosina y pasar exclusivamente al elogio manual. Esta maniobra conecta el hecho de sostener el collar con el de venir y recibir golosinas, lo que favorecerá incontables comportamientos futuros. Repita el ejercicio de 10 a 12 veces, 2 ó 3 veces al día. Una vez que el cachorro haya dominado la orden de venir, continúe practicándola diariamente para imprimir en su diminuto cerebro este comportamiento tan importante.

Como el Husky está programado genéticamente para correr, jamás practique este ejercicio con el perro suelto o en un área abierta. De hecho, la correa es definitiva cuando se tiene un Husky, porque un día puede escuchar la ancestral llamada de la selva y escaparse en un abrir y cerrar de ojos. No corra ese riesgo: ate su nórdico cuello.

La práctica diaria en obediencia es una regla de por vida. Los perros, perros son, especialmente los Siberian Husky, y si no les conservamos las habilidades aprendidas volverán a sus comportamientos desatentos y chapuceros, que serán entonces más difíciles de corregir. Incorpore estas órdenes a su rutina diaria y verá como su perro seguirá siendo un caballero del cual podrá sentirse orgulloso.

La orden de «sentarse»

Si el cachorro entendió ya el proceso de la golosina, el resto es de lo más fácil. Permanezca de pie frente a él, mueva la golosina directamente sobre su trufa y lentamente hacia atrás. A medida que se echa hacia atrás con el fin de alcanzar la golosina, se irá sentando. Si se levantara para tomarla, bájela un poquito. Cuando sus cuartos traseros toquen el suelo, dígale: «Siéntate». Es una sola palabra: «Siéntate». Suelte la golosina y tómelo suavemente del collar, tal como lo hizo con la orden de venir. Así volverá a conectar positivamente tres cosas: la golosina, la posición de sentado y ser sostenido por el collar.

A medida que pase el tiempo, haga que el perro se quede en la posición de sentado por períodos de tiempo más largos antes de darle la golosina (este es el comienzo de la orden de

En el quieto/sentado el adiestrador usa órdenes verbales y una señal manual para indicar al perro que no se ponga de pie.

«Quieto»). Empiece a usar la palabra de liberación («Okey» o «Ya») para liberarlo de la posición de sentado. Practique la orden de sentarse como parte de las actividades cotidianas, y ordénele sentarse improvisadamente durante el día, siempre para recibir comida o elogio. Una vez que lo haga bien, combine el «Siéntate» con el «Deja» frente al plato de comida. Su Husky estará extendiendo su vocabulario.

La orden de «echarse»

Con el cachorro en la posición de sentado, tome la golosina y, desde la trufa del perro, vaya moviéndola en dirección al suelo y también ligeramente hacia delante entre sus dos patas delanteras. Sacúdala, si es necesario. Tan pronto como sus patas delanteras y tren trasero toquen el suelo, dele la golosina y dígale: «Échate, Muy bien, ¡échate!» para conectar la conducta con la palabra. Esta es una postura de sumisión que algunos perros tienen dificultad en dominar. Sea paciente y –siempre que el suyo coopere– generoso con las golosinas. Una vez que asuma con facilidad la posición de echado, incorpore el «quieto» de la misma manera que lo hizo con la posición de

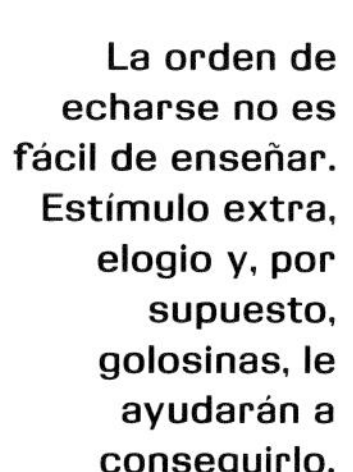

La orden de echarse no es fácil de enseñar. Estímulo extra, elogio y, por supuesto, golosinas, le ayudarán a conseguirlo.

sentado. Hacia los seis meses de edad, el cachorro debe ser capaz de quedarse firmemente sentado y echado durante diez minutos.

La orden de «esperar»

Esta le encantará, especialmente cuando su intrépido «barredor de nieve» llegue a casa con las patas mojadas o llenas de fango después de una mañana de diversión invernal. Trabaje esta orden con la puerta cerrada. Comience por abrirla como si fuera a salir o entrar por ella. Cuando el perro trate de seguirlo, colóquesele enfrente y bloquéele el paso hasta que note que él duda y usted puede abrirla un poquito para salir por ella. Entonces dígale la palabra de liberación y permítale cruzar la puerta. Repita el bloqueo corporal hasta que él entienda y espere por usted, entonces comience a aplicar al ejercicio la verdadera orden de esperar. Practique con diferentes puertas dentro de la casa, y use las externas para entrar (hacia áreas seguras o cerradas) sólo después de que él sea capaz de esperar confiablemente.

La orden de «caminar»

La orden formal de caminar viene un poquito después en la curva de aprendizaje. Los perros jóvenes deben aprender a caminar pacíficamente al lado o cerca del amo con la correa puesta. Esto lo conseguirá mejor trabajando con un cachorro muy joven y pequeño, y no con 30 ó 40 kilos de perro tirando de usted calle abajo.

Comience el adiestramiento con correa tan pronto como lo traiga a casa. Simplemente átesela al collar de hebilla y déjelo deambular con ella durante un rato cada día. Juegue con él mientras tiene la correa puesta. Procure que el hecho de usar la correa se relacione con un momento feliz del día. Si la muerde, distráigalo con un juego, o atomícela con una sustancia repelente y amarga.

Después de unos días, tome la correa mientras se encuentran en un área libre de distracciones –la casa o el patio– y adelante dos o tres pasos con el cachorro. Llevándolo a la izquierda, sostenga una golosina cerca de su trufa para estimularlo a caminar cerca de usted. Palméese la rodilla y use su más alegre tono de voz. Dé unos pocos pasos cada vez, diciendo «¡Vamos!» cuando se mueva hacia delante y llevando la golosina para mantenerlo cerca. Adelante algunos pasos, ofrézcale la golosina, y alábelo. Sólo adelante unos pocos pasos cada vez.

Procure que estas sesiones sean cortas y festivas, que no excedan los 30 segundos. Nunca regañe o arrastre al perro para que camine más rápido o más despacio, sólo estimúlelo con una charla alegre. Al principio, camine recto hacia el frente, y vaya añadiendo giros amplios cuando él empiece a comprender el asunto. Progrese entonces hasta hacer giros de 90 grados dándole un suave tirón mientras pronuncia un alegre: «¡Vamos!» y, por supuesto, lo estimula luego con una golosina. Camine breves tramos que no le tomen más de 30 ó 40 segundos, con alegres recesos (use

Los paseos diarios van a formar parte de su rutina con el Husky. Y no serán agradables para ninguno de los dos a menos que lo adiestre para que se comporte educadamente con la correa puesta.

la palabra de liberación) y un juego corto (incluya varios abrazos) entre una sesión y otra. Procure que el tiempo total de adiestramiento sea corto y siempre termine con una nota exitosa, incluso si el cachorro adelanta sólo unos pasos.

El adiestramiento formal para caminar vendrá más tarde con instrucción avanzada en un curso de obediencia básica. Todos estos comportamientos se enseñan en alguna fase de cualquier cursillo de adiestramiento para perros jóvenes. Pregunte a su veterinario o a la asociación canina local para que le ayuden a localizar uno cercano. Hay docenas de libros sobre métodos positivos de adiestramiento en obediencia tanto para cachorros como para perros adultos. Compre uno o más de uno para que comience rápidamente la educación de su perro. Usted y su Husky serán más listos en la medida en que se esfuercen.

LAS ÓRDENES BÁSICAS

Resumen

- El Husky se distrae fácilmente, por eso debe empezar las lecciones en un lugar tranquilo y libre de distracciones.
- Designe una sola persona para que se encargue del adiestramiento del Husky.
- Comience por ganarse la atención del cachorro.
- Sea breve y conciso. A los Huskies no les gusta la repetición, como tampoco le gusta a usted.
- Termine cada lección con una nota positiva.
- Entre las primeras lecciones importantes están el reconocimiento del nombre, la orden de liberación, y el «Toma» y «Deja».
- Su meta es enseñar al perro las órdenes básicas, que son: «venir, sentarse, echarse, caminar y esperar».

El Husky debe ir al veterinario por lo menos una vez al año para ver si todo está bien.

Entre una visita y otra, usted es quien está a cargo de su salud, por lo que mientras más conozca sobre salud canina, mejor preparado estará para criar un Siberian Husky longevo y sano.

De todos los métodos incluidos en este capítulo hay dos que son, sin duda, los más importantes: el control del peso y la higiene dental. Los veterinarios aseguran que más del 50 % de los perros que llegan a sus consultas están muy pasados de peso, y que esa obesidad restará dos o tres años a sus vidas, debido a la carga que representa para el corazón, las articulaciones y los órganos vitales. El mensaje es obvio: la esbeltez es más saludable.

El reconocimiento manual es una buena manera de comprobar que el Husky no está escondiendo kilos de más.

Control del peso

Para saber si su Husky está bien de peso debe poder notarle

las costillas, bajo una fina capa de músculos, al presionarle ligeramente la caja torácica. Observándolo desde arriba, debe apreciar una cintura definida y, de lado, el abdomen claramente recogido.

Mantenga un registro del peso de su perro en cada visita anual al veterinario. Si tiene unos kilos de más, ajústele la cantidad de alimento (elimine las sobras de la mesa); tal vez pueda cambiar hacia una comida seca «ligera» o «para perros ancianos» o hacia alguna fórmula con menos calorías, además de incrementarle gradualmente el ejercicio.

El peso excesivo es especialmente dañino para los perros viejos con articulaciones crujientes. Caminar y correr (más despacio si el perro es viejo) siguen siendo las mejores formas de preservar la salud. Programe el ejercicio de su perro de acuerdo con su edad y condiciones físicas.

Cuidados dentales

La Sociedad Dental Veterinaria de los Estados Unidos afirma que a la edad de 3 años el 80 %

Incluso el energético Husky necesita descansar, pero si lo nota aletargado o le da la impresión de que «no es el mismo», es necesario llamar al veterinario.

Tantee debajo del pelo de su perro cuando haya estado al aire libre para saber si presenta chichones, hinchazones, llagas y otros problemas por el estilo.

de los perros manifiesta señales de enfermedad en las encías. Los síntomas incluyen placas de sarro amarillas y marrones a lo largo de las encías, que estas últimas aparezcan rojas o inflamadas, y mal aliento persistente. Si no se toman medidas, tales condiciones permitirán que se acumulen bacterias en la boca del perro y, a través de las encías lastimadas, las bacterias tendrán acceso al torrente sanguíneo, todo lo cual eleva el riesgo de causar enfermedades en los órganos vitales. Estas son causas frecuentes de muerte en los perros viejos, ¡aunque altamente evitables!

Su veterinario debe examinar los dientes y encías de su Husky durante el reconocimiento anual para asegurarse de que están limpios y sanos. Los 364 días restantes usted es su dentista. Cepíllele los dientes diariamente o, por lo menos, dos veces a la semana. Utilice un cepillo dental canino y pasta saborizada con pollo, bistec o hígado. (La pasta dental humana mentolada es dañina para los perros). Si el suyo se resiste al cepillado, pruebe amarrando un poco de gasa o paño fuerte alrededor de su dedo. También puede probar con un cepillo tipo dedal, disponible en cualquier tienda para mascotas. Comience a cepillar dando suaves masajes en las encías cuando el perrillo es aún muy pequeño.

La comida seca es una vía excelente para ayudarle a minimizar la acumulación de placa. También puede ayudar darle una zanahoria cruda al día. Las zanahorias ayudan a eliminar la placa, a la vez que proporcionan vitaminas A y C extra. Cualquier objeto para morder que sea saludable, como los huesos de goma y los juguetes con camellones, actúan como raspadores de sarro.

Reconocimiento corporal

Las sesiones semanales de acicalado deben incluir el examen del cuerpo para comprobar si hay protuberancias, puntos calientes u otros problemas. Los puntos calientes son llagas que el perro se produce al lamerse el pelo. El veterinario debe examinar cualquier anormalidad. Los parches o acrecencias negras en forma de lunares, en cualquier parte del cuerpo, requieren inspección veterinaria inmediata.

Esté muy al tanto de la piel seca, y del pelo escamoso y escaso, porque son síntomas de problemas en la tiroides. Si vive en una zona donde abundan las plantas, o si lleva al perro a pasear por allí, esté al tanto de las garrapatas.

Cuidados de los ojos

La visión del Husky puede deteriorarse con la edad. No es raro observar una nube azulada en los ojos de los perros ancianos, aunque no afecta la vista. No obstante, compruebe con el veterinario cualquier cambio ocular para saber si es inofensivo o no.

Detrás de la hoz

¿Y qué me dice del otro extremo? ¿Su perro se mordisquea el trasero o lo frota contra la alfombra? Es señal de que las glándulas anales están congestionadas. Pida al veterinario que se las exprima. Anualmente, hágale análisis de heces fecales para saber si tiene parásitos intestinales que pueden provocarle pérdida de peso y de apetito, pelaje pobre y problemas intestinales, además de debilitar su resistencia. Si observa cualquiera de estos signos, llévelo al veterinario. La tenia, parásito común, tiene la apariencia de granitos de arroz en las heces.

El veterinario examinará a los pequeños cachorros y empezará a administrarles sus vacunas antes de que abandonen la casa del criador, quien proporcionará más tarde a los nuevos dueños toda la documentación médica correspondiente.

Enfermedades cardíacas y renales

Las enfermedades cardíacas son comunes a todos los perros,

si bien es el problema que más frecuentemente pasan por alto los dueños. Los síntomas incluyen jadeo y respiración entrecortada, tos crónica, especialmente durante la noche o al despertar en la mañana, y cambios en los hábitos de sueño. Los padecimientos coronarios pueden tratarse si se detectan a tiempo.

Las enfermedades renales pueden también resolverse felizmente con un diagnóstico temprano. Si su perro bebe cantidades excesivas de agua, orina con mayor frecuencia, y/o lo hace dentro de la casa, no camine, corra al veterinario. Los fallos renales pueden curarse.

La moraleja es: conozca a su Husky. La detección oportuna de cualquier problema es la clave para garantizarle longevidad y calidad de vida.

Emergencias

Todos los dueños deberían conocer los signos de emergencia. Muchas organizaciones patrocinan seminarios de primeros auxilios.

Las emergencias evidentes incluyen vómitos por más de 24 horas, diarreas sanguinolentas o prolongadas (más de 24 horas), fiebre (la temperatura normal de un perro es de 38 °C) e inflamación súbita de la cabeza o de cualquier parte del cuerpo. Los síntomas de otras emergencias frecuentes son:

Golpe de calor = Jadeo excesivo, babeo, pulso acelerado, encías que toman un color rojo oscuro, expresión frenética y vidriosa.

Hipotermia (perro mojado + frío) = Temblores, encías muy pálidas y temperatura corporal por debajo de 37 grados C.

Choque = La pérdida severa de sangre a causa de una herida puede provocar en el perro un estado de choque. Los síntomas son temblores, pulso débil, debilidad e indiferencia, depresión, y temperatura corporal baja.

Las señales de alarma relacionadas con el cáncer y otros graves problemas de salud son: tumores o hinchazones anormales; heridas que no sanan; pérdida de peso inexplicable o súbita; falta de apetito; sangrado o secreción sin motivo aparente; olor corporal desagradable; dificultad al tragar o comer; carencia de vigor o rechazo al ejercicio; dificultades para respirar, orinar o defecar; apariencia abotagada; cojera o rigidez persistentes.

Llame de inmediato al veterinario ante cualquiera de estos signos de advertencia. Muchas enfermedades caninas y algunos tipos de cáncer son tratables si se les diagnostica a tiempo.

Esté siempre muy al tanto de cualquier cambio sutil en la conducta de su perro. Haga una lista de ellos, por pequeños que sean, y anote la fecha en que los observó. Lea libros sobre cuidados de salud caninos y primeros auxilios. Compre uno. Tenga a mano una lista de síntomas y remedios para que sepa qué hacer cuando lo necesite. La vida de su perro podría depender de eso.

CUIDADOS DOMÉSTICOS

Resumen

- Las dos consideraciones más importantes en el cuidado sistemático del Husky son el peso corporal y la dentadura. La obesidad y la falta de higiene bucal pueden amenazar su salud y acortar su vida.
- Cuando acicale al Husky, fíjese en si tiene alguna protuberancia, chichón, lunares o parásitos.
- El dueño del Husky debe inspeccionarlo desde los ojos hasta la punta de la cola, para saber si tiene algún problema.
- Identifique los signos de bienestar del Husky para que sepa cuándo su salud está amenazada.

Se considera al Siberian Husky un perro «económico» porque necesita menos comida que la mayor parte de las razas de su tamaño.

Los expertos mantienen que este rasgo se remonta a los Chukchis, sus criadores originales, quienes desarrollaron estos perros para que tiraran de sus pesados trineos en condiciones de frío extremo y viajando largas distancias, con un consumo mínimo de alimentos.

El criador es quien inicia a la camada en el consumo de alimento sólido, por eso usted debería seguir sus consejos sobre cómo alimentar al cachorro cuando se lo lleve a casa.

No obstante, la calidad de la comida que damos al Husky es de suma importancia. Las empresas productoras de los mejores alimentos para perros han desarrollado sus fórmulas dietéticas a través de estrictos controles de calidad para proporcionar una nutrición completa y equilibrada. No le añada suplementos, comida para personas o vitaminas extra. Lo único que conseguirá es alterar su balance nutritivo y, con ello, afectar negativamente al patrón de crecimiento y mantenimiento del Husky.

Hoy día, las principales marcas de alimentos caninos ofrecen fórmulas para cada talla, edad y nivel de actividad. Las nuevas recetas de crecimiento contienen proteínas y niveles de grasa apropiados para las razas, según sus diferentes tamaños. Mientras que las grandes, de rápido desarrollo, necesitan menos proteínas y grasas durante los primeros meses de súbito estirón, las medianas –como el Husky– tienen requerimientos nutritivos diferentes durante el primer año de crecimiento.

Pregunte al criador y al veterinario qué le recomiendan para alimentar al cachorro. Una sólida formación en el tema de los alimentos caninos le proporcionará las herramientas para ofrecer a su perro una dieta que sea al mismo tiempo la más adecuada para el primer período de desarrollo y también para su salud general. Lo más aconsejable es que siga dando al cachorro la misma marca que le daba el criador. Él conoce a sus perros y sabe lo que necesitan. Pero si tiene en mente darle algo dife-

Los Husky generalmente tienen buen apetito y se abalanzarán sobre el plato de comida.

El activo Husky necesita una nutrición adecuada para mantenerse en óptimas condiciones. Investigue y proporcione al suyo un alimento de máxima calidad que contenga todos los nutrientes esenciales en las proporciones correctas.

rente, llévese a casa una pequeña cantidad de la comida del criador para mezclarla con la suya propia y lo ayude así a adaptarse a la nueva.

¿Con qué frecuencia, y qué cantidad de comida debe darse? Los cachorros de ocho semanas nacidos deben comer tres veces al día –vientres pequeños, raciones pequeñas–. Alrededor de las doce semanas se les puede empezar a dar dos comidas diarias. La mayoría de los criadores sugiere mantener las dos comidas por el resto de la vida, sin importar la raza.

En cuanto a la dieta a libre demanda, es decir, dejarle el recipiente con comida durante todo el día, no es recomendable. Los perros que se alimentan de esta manera comen desordenadamente. También son más propensos a tornarse posesivos con sus platos.

La actitud del Husky cambiará cuando haya una golosina en juego. No subestime nunca el poder de la comida cuando se trata de persuadir de algo al perro, pero tampoco se descuide y se las dé en exceso.

Otra ventaja de dar dos comidas al día es que facilita predecir cuándo el perro va a desahogarse, lo cual allana la educación casera básica. Las comidas regulares también le permiten saber cuánto come el cachorro y cuándo lo hace, información valiosa en caso de enfermedad.

Al igual que ocurre con las personas, no todos los perros adultos tienen el mismo apetito. Es fácil sobrealimentar a un perro glotón. ¿Será capaz de resistirse a ese par de exóticos ojos? ¡Pues debe hacerlo! Los cachorros regordetes pueden lucir muy graciosos, pero el peso extra someterá a tensión sus articulaciones en crecimiento, y se considera que juega un papel en el desarrollo de la displasia de cadera. Los cachorros obesos tienden a convertirse en adultos igualmente obesos, que se cansan con facilidad y son más dados a padecer otros problemas de salud. Así que recuerde que esbeltez es salud, y obesidad no. Por el contrario, es una gran asesina de perros.

¿Debe darle comida enlatada o comida seca? La mayoría de los veterinarios recomienda esta última porque los gránulos ayudan a limpiar el sarro y la placa de los dientes. Es opcional añadirle agua, aunque se considera que estimula el apetito. Al perro glotón, que casi inhala la comida, es mejor rociársela con un poco de agua. Ya sea que alimente al Husky con comida seca o mojada, siempre debe tenerle agua fresca disponible.

ALIMENTACIÓN DEL SIBERIAN HUSKY

Resumen

- Comparado con otras razas de trabajo, el Husky requiere mucha menos comida. Este rasgo se asocia con sus orígenes como perro de trineo de los Chukchi.
- Alimente al Husky con la mejor comida posible. No compre las de baja calidad porque afectaría a su salud, conducta y pelaje.
- El criador (y/o el veterinario) pueden recomendarle la cantidad de comida que debe dar al Husky.
- El perro adulto debe comer dos veces al día.
- Evite sobrealimentar al Husky porque la obesidad puede provocar en el joven perro otros problemas de salud.

Correctos hábitos de acicalado entrañan mucho más que cuidar el pelaje del perro.

Incluyen también atención a la piel, dientes, orejas, uñas, y revisarle el cuerpo por si se oculta alguna anormalidad debajo del manto. No olvidemos tampoco los beneficios de la atención manual para formar y profundizar el lazo entre persona y animal.

Todo perro debería disfrutar del acicalado, es lo mejor, después de las caricias. Por eso, lo ideal es acostumbrarlo al cepillo, el cortaúñas y el cepillo dental desde cachorro. Algunos, de mayor edad, que no han experimentado estos manejos pueden resistirse a ellos cuando son más maduros y grandes, siendo capaces de negarse. La moraleja es: empezar cuando el perro es cachorro.

Para que el cachorro se acostumbre al cepillado, debe peinarlo suavemente, como acariciándolo, tratarle con delicadeza y hablarle en tono calmado.

Comience incrementando el tiempo poco a poco, acariciándole suavemente con el cepillo, tocándole los pies de forma delicada y breve, mirándole dentro de las orejas, palpándole ligeramente las encías. Ofrézcale trocitos de golosinas durante cada sesión.

El Siberian Husky tiene un doble manto, de mediana longitud. El pelo es relativamente inodoro y no muy alergénico. Lo muda dos veces al año, generalmente al final de la primavera y luego en otoño. El baño y el cepillado frecuentes en tales períodos son necesarios para eliminar el exceso de pelo. Si es usted remilgado con la casa, piénselo dos veces antes de hacerse con un Husky.

¿Con qué frecuencia debe bañarse el perro? En la mayoría de los casos, no más de una vez al mes o cada dos meses, excepto en la época de muda, y menos frecuentemente si lo mantiene ¡lejos de los charcos! El baño demasiado recurrente elimina los aceites esenciales que mantienen flexible la piel, y suave y brillante el pelo.

Claro que hay ocasiones en que el baño es necesario. Para reducir al mínimo el estrés y que el baño no se convierta en una batalla, acostumbre al ca-

Cuando el Husky está al aire libre, el pelo puede recoger toda suerte de indeseables huéspedes: insectos, astillas, hierba y cosas por el estilo. Por eso es importante revisarle la piel y el pelaje durante las sesiones de acicalado y después de que regrese de estar en contacto con la naturaleza.

El Husky adulto tiene más pelo alrededor del cuello y del pecho; se trata de una melena protectora destinada a aislar del frío el corazón, los pulmones y otros órganos vitales.

chorro desde pequeño. Engatúselo con un premio comestible a la hora de entrar en la bañera. Coloque en el fondo de esta o de la ducha una toalla para que apoye las patas sobre suelo firme. Comience con la artesa seca, gradualmente vaya llenándola de agua y empiece a bañarlo. Después, asegúrese siempre de enjuagarle completamente el pelaje para evitar que los residuos de champú le produzcan picor. Un buen trozo de gamuza es ideal para secarlo porque absorbe el agua como una esponja. Los secadores de pelo diseñados para perros son especialmente convenientes para secar a las razas de pelo espeso como el Husky. Manténgalo alejado de las corrientes de aire por un buen rato después del baño y del secado para prevenir que se resfríe.

Aunque es necesario limpiar las orejas del Husky, no se recomienda introducir en ellas un palillo ni cualquier otro objeto. Una suave mota o balita de algodón es más segura para limpiar las orejas.

Cepillar los dientes diariamente es lo ideal, pero dos veces a la semana es más realista. Utilice un cepillo dental canino o frótele los dientes con un trozo de gasa o paño suave.

Las uñas deben cortarse una vez al mes. Empiece a hacerlo lo antes posible porque mientras más tarde empiece, menos cooperará el perro. A los cachorros no les gusta que les corten las uñas.

Ofrézcale golosinas cada vez que lo someta al proceso para crearle una asociación positiva.

Despunte el extremo de la uña o córtela en la parte curva. Tenga cuidado de no cortar la línea de sangre (el vaso sanguíneo color rosa que corre dentro) porque resulta doloroso y puede sangrar mucho. Para detener el sangrado, use unas gotas de solución anticoagulante, que puede conseguir en su veterinario o la farmacia. Manténgala a mano, los accidentes ocurren.

Revisar las orejas del perro semanalmente es la mejor cura. Aunque las infecciones auriculares son frecuentes en todas las razas, las orejas erectas del Husky son menos propensas a infecciones crónicas que las orejas caídas. La limpieza regular con un líquido limpiador ótico mantendrá las orejas de su perro limpias e inodoras.

Los síntomas de infección incluyen rojez y/o inflamación del oído interno o del pabellón auricular, olor desagradable o secreción oscura y cerosa. Si su perro se trastea las orejas con las patas, sacude mucho la cabeza o parece perder el equilibrio, llévelo inmediatamente al veterinario.

ACICALADO DEL SIBERIAN HUSKY

Resumen

- El manto doble y de mediana longitud del Husky requiere acicalado sistemático para que luzca toda su belleza.
- Los Huskies mudan, especialmente durante las estaciones, y se hace necesario el acicalado diario.
- Los baños ocasionales mantienen limpio el manto del Husky.
- Los dueños deben atender dos veces por semana la dentadura del Husky, una vez a la semana las orejas, y las uñas una vez al mes.
- Los problemas auriculares pueden progresar en poco tiempo, así que atienda las posibles infecciones tan pronto como las descubra.

CAPÍTULO 13

Cómo mantener activo al Siberian Husky

Cuando se habla sobre la actividad del Siberian Husky, la palabra clave es «ocupado».

Clasificado dentro del Grupo de Trabajo del AKC, el Siberiano fue criado para correr, y es lo que hará a la primera oportunidad. Se trata de un perro que necesita por lo menos una hora diaria de vigoroso ejercicio.

Más que un simple hábito saludable, el ejercicio y la actividad física son esenciales para el bienestar físico y la salud mental del Husky. El perro bien ejercitado estará felizmente cansado y, por ende, menos inclinado a canalizar malévolamente la energía que tiene acumulada. Aunque todos los perros derivan beneficio de cualquier forma de ejercicio, el Husky necesita algo que hacer. Hace casi cien años que su función primordial era ser un resistente perro de trineo. El Husky todavía escucha esa llamada ancestral y requiere de una actividad desafiante para canalizar su energía.

Una perrera segura y bien espaciosa, con área para correr, garantiza al Husky la oportunidad de hacer algún ejercicio por su cuenta, aunque la compañía de su amo es igualmente importante.

Dicho eso, tenga presente que ni el Siberiano cachorro ni el adulto obtendrán el ejercicio adecuado por su cuenta. Si se les permiten sus propios recursos, van a cavar o a mordisquear algo incansablemente, de puro aburrimiento. Uno o dos largos paseos diarios a paso vivo ayudarán a mantenerlo en forma y esbelto, y también mantendrán su mente estimulada por las vistas y sonidos callejeros o del parque vecinal.

La distancia y el tiempo del paseo dependen de la edad del perro, su condición física y nivel de energía. Los huesos de un joven Husky son blandos y vulnerables a las lesiones durante el primer año de vida, por lo que no debe sometérsele a fuertes tensiones. Ello significa paseos cortos y más frecuentes, no permitirle juegos que lo estimulen a saltar alto o someter a fuerte impacto los trenes delantero y trasero, hasta que el cachorro haya pasado la edad peligrosa.

Cuándo y dónde pasear al perro es tan importante como cuánto. En los días cálidos, evite caminar al bochorno del mediodía. Aproveche las horas más

Si se le da la oportunidad de explorar, el Husky se irá y correrá, impresionando a todos con su agilidad y atletismo.

Los eventos de obediencia y agilidad le proporcionan emociones, ejercicio y entretenimiento tanto al perro como al dueño.

frescas de la mañana o de la tarde. Si es usted un trotador, su Husky es el compañero de trote perfecto. Sólo asegúrese de que está en buenas condiciones y listo para correr kilómetros.

Los paseos diarios son también un excelente medio de establecer lazos entre dueño y perro. Su Husky esperará ansiosamente ese momento especial que compartirá con usted. Como es una criatura de hábitos, saltará de alegría cuando le vea ponerse el abrigo y tomar la correa, o cuando sienta el tintineo de las llaves.

Considere la posibilidad de llevar el programa de ejercicios a otro nivel. Planifique salir una noche semanal con su Husky e inscríbase en un cursillo. Puede ser de obediencia, agilidad, tal vez, o ambos. Usted tendrá una motivación para trabajar con su perro diariamente porque no deseará atrasarse o parecer desfasado en la clase semanal. Su perro disfrutará verdaderamente, y usted también. Ambos serán más activos y, por ende, más sanos. Su perro aprenderá los elementos básicos de la obediencia, se comportará mejor y se convertirá en un ciudadano modelo.

Las clases para el Circuito de Agilidad ofrecen actividades aún más saludables para un Husky pletórico de energía. En ellas, aprenderá a escalar una rampa en forma de A, correr por dentro de un túnel, hacer equilibrios sobre un balancín, saltar hacia y desde una plataforma, atravesar un aro y a zigzaguear entre una línea de estacas. El reto de aprender a sortear estos obstáculos del Circuito de Agilidad y conseguir dominarlos, hará que usted y su perro ¡se sientan orgullosos de sí mismos!

Puede ir aún más lejos con estas actividades y participar con su perro en competiciones de obediencia y de agilidad. Busque un club o únase a un grupo de entrenamiento. Trabajar con otros aficionados le dotará de incentivo para practicar sistemáticamente con su perro. Si desea más detalles, visite las páginas web del Club de la raza de su país y de la asociación canina nacional.

Las exposiciones de conformación son, con todo, las competencias caninas más populares de todas las razas. Si planifica presentar a su Husky en ellas, asegúrese de que el cachorro tenga ese potencial: hágale saber sus planes al criador. La mayoría de los clubes de raza locales organizan clases de adiestramiento para exposiciones de conformación y pueden ayudar a los novatos a iniciarse con sus cachorros.

El SHCA ofrece más oportunidades para que su Husky lo pase divinamente, desempeñándose, según su herencia, como perro de tiro. Los programas de trabajo del SHCA auspician eventos de perros de trineo para promover y preservar los instintos de tiro del Siberian Husky. Puede que le interese investigar –para el Husky– qué hay con las competiciones de arrastre de peso. Estas son patrocinadas por la Asociación Internacional de Arrastre de Peso (International Weight Pull Association, IWPA).

CÓMO MANTENER ACTIVO AL SIBERIAN HUSKY

Resumen

- Un perro de trabajo, como el Husky, necesita abundante ejercicio diario. Mantenga activo al suyo durante dos horas cada día.
- El ejercicio debe incluir, por lo menos, dos paseos diarios y tiempo para correr libremente en un área segura y cerrada.
- Los cachorros deben ejercitarse menos que los perros adultos.
- En los días cálidos, limite la actividad. El Husky es una raza nórdica que prefiere el frío y la nieve al sol y la humedad.
- Vaya más allá del régimen básico de ejercicios y pruebe con las lecciones de agilidad y obediencia, e incluso, con las competiciones. Considere las exposiciones caninas, el arrastre de peso y las pruebas de instinto, como vías para mantener al Husky activo y contento.

CAPÍTULO 14

El Siberian Husky y el veterinario

Tres o cuatro días después de traer el cachorro, llévelo al veterinario. Muéstrele los documentos de salud, junto con el registro de desparasitaciones y vacunaciones que le dio el criador.

El veterinario le someterá a un reconocimiento físico completo para comprobar si está sano, y diseñará un programa de vacunaciones, medicaciones de rutina y futuras visitas regulares a la consulta.

Vacunas

Los protocolos de vacunas varían de un veterinario a otro. Las recomendadas con mayor frecuencia por la Asociación Médica Veterinaria de los Estados Unidos (American Veterinary Medical Association: AVMA) son: moquillo, parvovirosis canina, adenovirosis canina, hepatitis canina y rabia.

Someter al cachorro a reconocimiento veterinario casi enseguida de haberlo traído, le garantiza que está tan sano por dentro como parece por fuera.

Las vacunas que ya no recomienda el AVMA, excepto en condiciones de riesgo, son parainfluenza canina, leptospirosis, coronavirus canino, bordetella (tos de las perreras) y la Enfermedad de Lyme (borreliosis).

La de rabia, por ejemplo, es obligatoria en los estados americanos. Durante muchos años esta vacuna ha estado disponible en dosis anuales o trienales. Indague si la vacuna trienal es legal en su país.

El veterinario continuará el ciclo de vacunación donde el criador lo dejó. Siga sus recomendaciones y cumpla con el programa de reactivaciones cuando sea necesario.

Filarias

La filaria es un parásito que se propaga hacia el interior del corazón del perro y finalmente lo mata. Ahora se encuentra en la mayoría de los estados de América, y se transmite por la picadura de un mosquito. Los preventivos de la filaria deben administrarse diaria o mensualmente en forma de píldora o mediante inyección semestral, pero sólo pueden adquirirse con el veterinario. La necesidad de usar estos preventivos depende del lugar donde viva.

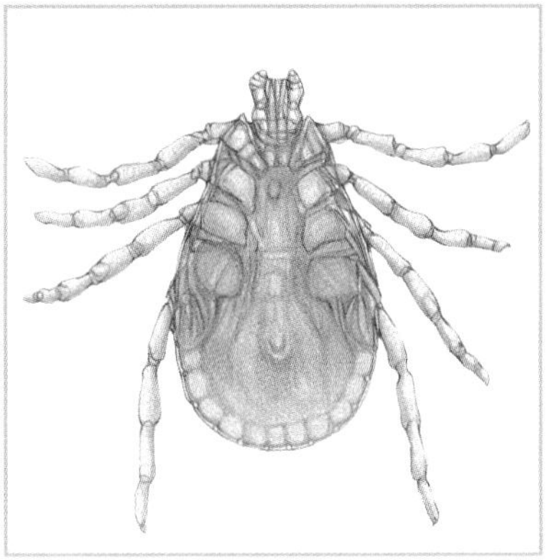

Las garrapatas son frecuentes en las zonas rurales y pueden portar varias enfermedades

Pulgas y garrapatas

Afortunadamente, existen hoy varias armas poco tóxicas para asistirle en su lucha contra las molestas pulgas. Pregunte al ve-

Los ojos azules del Husky son ciertamente llamativos, especialmente cuando el pelo es oscuro. Observe también la abundancia de pelo protector bordeando las orejas.

terinario por los tratamientos más actualizados. Los collares para pulgas y garrapatas ofrecen protección limitada.

La Enfermedad de Lyme (borreliosis canina), la Ehrlichiosis y la Fiebre Punteada de las Montañas Rocosas son todas enfermedades producidas por las garrapatas. Existen hoy en casi cualquier país y pueden afectar también a las personas. Los perros que vivan o visiten áreas donde haya garrapatas, ya sea en la estación correspondiente o durante todo el año, deben estar protegidos.

Un dueño bien informado estará mejor preparado para criar un perro sano. Pregunte siempre al veterinario qué inyecciones o medicamentos está administrando al suyo y para qué. Lleve una libreta de notas o un diario y registre en él toda la información sobre la salud de su perro para que no se le olvide. Créame, se le va a olvidar.

Afortunadamente, la comunidad veterinaria de nuestros días se concentra en los cuidados preventivos y el bienestar canino tanto como en el tratamiento de los animales ya enfermos. La Asociación Estadounidense de Medicina Veterinaria Holística (American

Holistic Veterinary Medical Association) y otros grupos especializados ofrecen actualmente terapias con acupuntura, hierbas, homeopatía y otras, que se suman a la prevención y tratamientos médicos tradicionales. Hoy en día, muchos dueños de mascotas han incorporado ambas filosofías al programa de salud de sus perros. Usted puede aprender más sobre estas disciplinas de cuidados naturistas alternativos en libros o en Internet.

Exámenes regulares

Los exámenes médicos son la base de los cuidados preventivos de salud, por eso el Husky debe visitar anualmente al veterinario. Es muy importante, porque eso le permite estar al tanto del progreso de la salud de su mascota, además de que el reconocimiento manual pone al descubierto anormalidades pequeñas o internas que usted no puede sentir o ver.

Entre una visita y otra al veterinario, la salud del Husky está en sus manos. Esté a la expectativa de cualquier cambio en su apariencia o comportamiento.

¿Ha engordado o adelgazado súbitamente el Husky? ¿Están sus dientes limpios y blancos, o necesitan algún tratamiento contra las placas? ¿Está orinando más frecuentemente o bebiendo más agua de lo usual? ¿Le cuesta esfuerzo hacer sus necesidades? ¿Nota algún cambio en el apetito? ¿Parece como si le faltara el aire, está aletargado o demasiado cansado? ¿Ha percibido en él algún tipo de cojera o cualquier otro signo de rigidez en las articulaciones? Todos son signos de serios problemas de salud que debe analizar con el veterinario tan pronto como los detecte. Estas observaciones se hacen más importantes en el caso de los perros viejos, ya que hasta los más sutiles cambios pueden señalar algo grave.

La esterilización

Este punto está casi fuera de discusión porque la esterilización es la mejor póliza de salud que puede ofrecer al Husky. Las estadísticas demuestran que las hembras esterilizadas antes de su primer celo (estro) tienen un 90 % menos de riesgo de padecer varios cánceres femeninos frecuentes y otros graves problemas de salud. Los machos esterilizados antes de que irrumpan las hormonas en sus organismos, lo que ocurre, por lo general, a los seis meses, tienen de cero a casi ningún riesgo de contraer cáncer testicular o prostático y otros tumores e infecciones relacionadas. Además de que serán menos propensos a desplegar esos comportamientos tan masculinos y agobiantes para sus dueños.

EL SIBERIAN HUSKY Y EL VETERINARIO

Resumen

- Ir al veterinario debe ser lo primero en la lista de cosas que se propone hacer con su cachorro de Siberian Husky.
- El veterinario establecerá un programa de vacunaciones para el perro. Guarde los registros de todas las vacunas administradas.
- Analice con el veterinario un programa preventivo contra la filaria. Es necesario si vive en un área rural.
- Los molestos parásitos son el calvario de todos los dueños, aunque a los perros tampoco les gustan. Analice con el veterinario cómo prevenirlos y controlarlos.
- Las visitas anuales del Husky a la consulta veterinaria le garantizan una larga vida.
- Esterilice a su Husky mascota a la edad apropiada, por lo general, alrededor de los seis meses.